COLECCIÓN
Literatura

Editorial PanHouse
www.editorialpanhouse.com

Edición general:
Jonathan Somoza
Gerencia general:
Paola Morales
Gerencia editorial:
Barbara Carballo
Coordinación editorial:
Anagabriela Padilla
Edición de estilo:
Emily Cartaya
Corrección ortotipográfica:
Gloria Calvo
Diseño, portada y diagramación:
Editorial PanHouse

ISBN: 978-980-437-282-7
Depósito legal: DC2023001724

JENSSER MORALES

INDEFENSA
SIN DEFENSA

CUANDO
LA INOCENCIA
ES TU SENTENCIA
DE MUERTE

PanHouse

ÍNDICE

DEDICATORIA

Quiero dedicar este libro a Dios, a mis padres, Oleida Muñoz y Nerio Morales. A mis hermanos. A mi amor. A la familia de Rossana, quienes día a día han luchado contra sus propios miedos por defender la memoria de quien no se puede defender.

AGRADECIMIENTOS

A Dios, porque sin Él esto no sería posible. A mis padres, Oleida Muñoz y Nerio Morales. A Gianncarlo Cifuentes y Dacelys Martínez, quienes estuvieron acompañando cada uno de los pasos en la cobertura del caso, y a todos aquellos quienes me han estado acompañando en esta aventura.

SOBRE EL AUTOR

Jensser Morales es un periodista y abogado venezolano que se describe como un ser humano que odia la injusticia, cree que las dos profesiones se complementan para defender y darle voz a los que no la tienen. Siempre ha luchado desde sus trincheras de la forma más simple, pura y genuina, a veces sin filtro, pero nunca con crueldad.

Conocer tantas historias contadas por sus propios protagonistas lo han hecho más humano y menos persona, más empático y menos juez, más ponerse en los zapatos del otro que mirar desde la barrera.

Amante de la lectura y fanático de aprender, Jensser ha demostrado que una profesión se forma en las calles, palmando lo más duro de la realidad, pero lo más sublime de los sueños. Es fiel creyente de que la maldad es una conducta aprendida y que la bondad siempre acompaña a los más soberbios.

Comenzó como periodista en Niños Cantores Televisión, Canal 11 del Zulia, y luego transitó por dos canales nacionales, Televen y Globovisión, ejerciendo la tarea como corresponsal de los estados Zulia y Falcón.

Se ha alzado con seis premios Emmy por el trabajo periodístico que ha desarrollado como profesional de la comunicación en los más de tres años siendo reportero de Univisión Atlanta, uno de esos premios es precisamente el caso que le dio origen a este libro, el secuestro y asesinato de la taxista venezolana Rossana Delgado.

El trabajo de investigación que realizó durante más de 24 meses desde el día que secuestraron a Rossana Delgado hasta el momento cuando los responsables fueron sentenciados creó en él una sensibilidad mayor a la que imprime en sus trabajos.

El caso de Rossana dividió su carrera profesional en un antes y un después. Con esta obra busca darle voz a quien no tiene la oportunidad de defenderse.

PRÓLOGO

Como periodistas tenemos el compromiso de mostrar todas las caras o la mayor cantidad de aristas posibles sobre una noticia que nos corresponda cubrir, a pesar de la subjetividad que nos define al ser humanos sensibles, con criterio propio y posiciones determinadas.

Nuestra lealtad es a la verdad, la justicia y los valores de vida ciudadanos y democráticos. Por eso, debemos buscar la mayor cantidad de datos sobre un hecho, persona o circunstancia que nos toque reseñar. Es un principio fundamental de la profesión cumplir con el equilibrio informativo.

Cuando trabajamos el género informativo debemos procurar la imparcialidad, no así la objetividad utópica por ser, repito, humanos. Por respeto a la profesión, principalmente al público que nos lee, escucha y ve, nuestra tarea consiste en recabar la mayor cantidad de pruebas, en mostrar la cara y contracara de un mismo hecho para que nuestra audiencia se pueda aproximar a la verdad sin el sesgo propio de los humanos, muchas veces afectados por los eventos que reportamos.

Eso es este libro: un esfuerzo de su escritor, periodista, por mostrarnos la versión de familiares y amigos de Rossana Delgado, una venezolana quien, como parte de la migración forzada, escogió Atlanta como la ciudad para vivir y trabajar, ofreciendo un servicio de taxista que la llevaría a su destino final.

A Rossana le arrebataron el derecho a vivir y poder defenderse en una investigación y juicio *post mortem* que dejó la hipótesis de haber sido parte de la red criminal que le quitó la vida. De víctima pasó a criminal. Sus más cercanos insisten en su inocencia en medio del dolor que les dejó esa desaparición envuelta en un hecho abominable.

Aquí están las impresiones y vivencias que Jensser quiso compartir guiado por su afán periodístico de llegar a la verdad. ¿Cuál es la verdad de este caso? Acá la versión de Rossana contada por sus familiares a nuestro autor y la unión de docenas de pistas como piezas de un rompecabezas que consiguió de una amplia y verificada investigación.

Gladys Rodríguez
Periodista

Definitivamente, te recomendaría leer *Indefensa sin defensa,* de Jensser Morales. Trabajé de cerca con Jensser en esta investigación y estoy segura de que su narrativa cautivadora te sumergirá en los desafíos, las emociones y los momentos clave de la investigación del secuestro y asesinato de Rossana Delgado. Este libro ofrece una perspectiva profunda sobre este trágico caso de Delgado, brindándote una visión más completa de los eventos y los desafíos que enfrentaron la familia de Rossana y las personas involucradas en la investigación. Además, es una oportunidad para reflexionar sobre la importancia de la justicia y la lucha contra la impunidad.

Dacelys Martinez
Directora de noticias de Univisión Atlanta

LA ORDEN DEL CARTEL

En un mundo tan diverso, podemos encontrar cientos o millones de historias con un solo denominador: la tragedia. Ese doloroso momento de perder a un ser querido. Ese instante en el que sientes que te arrancaron un pedazo del alma y que nada en el mundo volverá a llenar el vacío que dejó.

No obstante, cuando esa tragedia es protagonizada por un inmigrante se vuelve aún más desgarradora, porque perder a uno de los tuyos lejos de la tierra que te vio nacer, crecer, reír, amar y soñar, se convierte en un doble duelo: el de la pérdida y el de no tener cerca a tu familia, tus amigos, conocidos y tu tierra para apaciguar el dolor.

Como fuere, esta historia no se trata del drama que nos envuelve a muchos migrantes, sino de una historia en particular: la de una mujer que se fue de su país en busca del sueño americano para encontrarse envuelta en una pesadilla fatal de la que jamás despertaría.

Al principio todos se solidarizaron con su causa, pero los hechos hicieron que las personas cambiaran de opinión y rechazaran a la víctima y a sus familiares, las redes sociales se convirtieron entonces en el inquisidor más salvaje de todos. Sin tener conciencia del impacto, cada palabra, cada letra se convertía en un proyectil, no solo para la protagonista, sino para todas las personas que estuvieron involucradas con ella.

El secuestro y asesinato de Rossana Delgado comenzó a planificarse y a ejecutarse desde el 12 de abril de 2021, cuatro días antes. El espantoso hecho finalizó el 30 de abril de 2021 con la fuga de los sospechosos a México, según documentos de la Fiscalía de Appalachian en el condado de Gilmer.

La noticia del secuestro y asesinato de Rossana Delgado dividió mi historia profesional en un antes y un después. Sin duda alguna, sé que es una historia que me servirá como carta de presentación cuando tenga que elegir entre la empatía y la cruda realidad de un hecho noticioso.

La historia de Rossana Delgado me hizo conocerla sin siquiera haberla visto en persona. Cada detalle que abarca esta narración me hizo sentir en carne propia el dolor y la desesperación que pudo haber sufrido en sus momentos más oscuros, los terribles minutos antes de su muerte.

Lo que le sucedió a esta taxista venezolana captó la atención no solo de los venezolanos en Estados Unidos, sino de toda la diáspora alrededor del mundo.

Cada detalle que surgía casi a diario provocaba más y más confusión en lugar de esclarecer los motivos que provocaron el macabro asesinato de una mujer trabajadora de treinta y siete años. Los hechos expuestos por los medios de comunicación, y aun por las autoridades, generaban más dudas e interrogantes que respuestas.

Muchos de los que seguían la noticia se preguntaban «¿qué fue lo extremadamente malo que hizo Rossana para que terminara desmembrada y quemada?», «¿por qué tanta gente participó en ese crimen tan atroz?», «¿la familia sabía lo que hacía Rossana y por qué la mataron?».

Cada fragmento de la limitada información que revelaba el GBI acercaba el caso a un abismo de dudas sin posible respuesta, y al mismo tiempo sumía a Rossana en una penumbra de desinformación en la que la mayoría de los que consumían las noticias de su muerte terminaban por creer que tal vez se merecía lo que le sucedió, mientras que otros seguían haciéndose más y más preguntas. Por eso sentí un fuerte empeño que se transformó en insistencia por conocer más detalles del suceso, que finalmente aclararan un poco más el panorama para todos.

El secuestro y asesinato de Rossana Delgado se produjo entre el 16 y el 20 de abril de 2021, y no fue hasta el 6 de agosto, después de la presentación de los arrestados ante la Corte Superior del condado de Gilmer, cuando se revelaron detalles de todo lo que involucraba el macabro homicidio.

A dos años del brutal asesinato se siguen conociendo nuevos datos sobre las motivaciones que llevaron al cartel a ordenar el secuestro y muerte de Rossana. Precisamente, una información extraoficial proporcionada por miembros de la Administración de Control de Drogas de Atlanta (DEA) asociados a la investigación provocó que el caso diera un giro de ciento ochenta grados, dejando atrás lo que inicialmente se creía acerca de que Rossana sí merecía lo que había sucedido.

Por todas las razones que he planteado en esta breve nota, es mi deseo expresar, como autor de este libro, que este documento, que contiene datos públicos del caso de Rossana Delgado, sea un instrumento de defensa para quien fue señalada sin tener oportunidad de defenderse y para su familia, que aún sigue batallando contra el miedo y las dudas sobre cómo y por qué ocurrió un hecho tan macabro a una madre que huyó de Venezuela junto a su esposo y sus dos hijos en busca del sueño americano.

Debo destacar que este material periodístico es meramente informativo y solo busca presentar las partes y los hechos reseñados por las autoridades sin señalar directamente a un culpable ni hacer el trabajo que solo el sistema judicial puede hacer, con la finalidad de exponer la verdad tal y como fue encontrada en cada lugar donde investigué este terrible suceso.

Esta historia es real, pero algunos nombres y lugares fueron cambiados, ya que en la fase de producción de este libro, aunque la mayoría de los acusados tenían sentencia judicial, aún están pendientes las capturas de otros acusados.

09-09-1983 ✝ 20-04-2021

CAPÍTULO I

¿QUIÉN ERA ROSSANA DELGADO?

«Los malos tuvieron derecho a la defensa, a ella la muerte le quitó el derecho de defenderse».

Jensser Morales

C reo que esta historia no puede comenzar de otra manera, porque después de todo se trata de ella, de lo que es cierto, de lo que las evidencias indican, de lo que se supo en su momento. Y se trata de lo que ahora yo sé que es verdad porque lo he podido indagar y ver día tras día mientras investigaba todos los hechos que llevaron al terrible desenlace de esta mujer, conocida escasamente como «la taxista venezolana a la que mataron» y que, desde luego, tenía mucho más para contar que lo que se dijo en algunos medios de comunicación.

No tuve la dicha de conocer personalmente a Rossana. Sin embargo, conversando con dolientes y con las personas más cercanas a ella, encontré características tan familiares para mí que me hicieron sentir como si hubiese formado parte de su vida.

Según testimonios, Rossana era un ejemplo claro de una verdad que se repite en muchas partes del mundo: «Venezuela es el país de las mujeres hermosas». Pero su apariencia física no era quizá lo más resaltante, sino que era una mujer luchadora, trabajadora y, como muchos otros inmigrantes, también era el reflejo de una sociedad pujante, vibrante y fuerte que no le tiene miedo a nada.

Rossana Delgado nació el 9 de septiembre de 1983 en Los Teques, estado Miranda, en Venezuela. Tenía una fuerte creencia en los astros, por lo que sus amigos pudieron relatarme lo que ella decía con sus propias palabras, que ella era «como todos los virgo, que son familia de sus amigos. Así que, si necesitas su ayuda, harán todo lo que esté en sus manos para ayudarte». Entonces tenía un carácter entrañable, amistoso y comunicativo, que sin duda le habrá dado muchas conexiones valiosas en la vida.

De hecho, entre tantas personas con las que hablé sobre ella siempre recuerdo las palabras de Fanny, una chica que conoció a Rossana en su trabajo y con la que trabó una relación muy interesante. Ella la llamaba «la brujita Rossana» y entre sus relatos me contó que Rossana era una persona difícil de llevar.

Sé que la llevaba en el corazón porque a pesar de sus diferencias Fanny esbozaba una sonrisa brillante cuando recordaba el momento en que conoció a Rossana. La vio por primera vez en una ocasión en que tenía que resolver un problema con otra compañera de trabajo, y cuando narraba la historia se notaba en ella ese brillo especial que todos tenemos cuando cuentas algo que llevarás en tu memoria por siempre, como las pequeñas cosas hermosas de las que está hecha la vida.

La conversación prosiguió con Fanny. Me detalló que Rossana siempre fue una persona directa y muy sincera, que si tenía que decir algo simplemente lo decía de la misma forma como le viniera a la mente. Entre sus descripciones más frecuentes me encontré con que Rossana no era una persona demasiado diplomática y que con muchos comentarios podía parecer incluso imprudente. Pero eso no le molestaba

Capítulo I

demasiado a Fanny, quien contaba a carcajadas que Rossana, en pocas palabras, era esa amiga demasiado sincera que no sabes si quieres tener, pero que aprecias mucho que esté en tu vida.

La amistad entre Fanny y Rossana comenzó en 2014, estando en Venezuela y en conjunto con otra mujer. Ellas se llamaban a sí mismas «un trío de panas», término que las representaba como tres amigas venezolanas. Según sus propias palabras, adonde fuera una de ellas las otras iban detrás, lo que les permitió compartir familiarmente y conocerse estrechamente.

En esa misma conversación Fanny me confesó que entre ella y Rossana hubo muchas discusiones y discrepancias por el tema laboral. En ese aspecto tenían caracteres demasiado distintos, ya que Rossana era muy desprendida y ella todo lo contrario. Allí se cumplió el proverbio que dice que espada con espada se afila, y un amigo se afila con otro amigo. En pocas palabras, Fanny afirmó que la amistad se fue puliendo a punta de asperezas. No obstante, algo que indudablemente existió entre ambas desde que empezaron a conocerse fue la admiración. Rossana nunca calló su asombro por la increíble fortaleza y determinación de Fanny quien, siendo madre soltera, se levantó a trabajar para sacar adelante a su familia. Mientras tanto, Fanny admiraba a Rossana por lo arriesgada y emprendedora que era. Si veía surgir un buen negocio Rossana trabajaba día y noche para sacarlo adelante, y hacía muy bien todo lo que se proponía. «El que no arriesga no

Capítulo I

gana, sí, ¿o qué?», recuerdo su voz entrecortada al evocar cómo fueron aquellos años dorados junto a sus dos amigas.

Entre una anécdota y otra, también dijo que había otra cosa muy admirable y era que a Rossana le gustaba ayudar tanto a sus familiares como a sus amistades, tanto así que les abrió las puertas de su casa en varias ocasiones en Venezuela y en EE.UU. También era de esas amigas que nunca se negaba a hacer de transporte con su automóvil, ofrecía oportunidades de empleo a alguien que sabía que lo necesitaba y, en general, mostraba un carácter muy desprendido, dadivoso y con acciones que reflejaban a una persona con empatía por las necesidades de otros.

Me confesó que jamás olvidaría el día en que ella y su amiga en común salieron de la cita de la visa americana. Empezaron a intercambiar experiencias y a contar cuáles fueron las preguntas que les hicieron para la aprobación de la visa. En ese momento, ambas le dicen animosamente: «Fanny, deberías sacar también tu visa con nosotras», pero ella simplemente les respondió que no tenía dinero para el trámite.

Durante la larga conversación que mantuve con Fanny ella no dejó de decir que Rossana siempre la motivó a que se fuera para EE.UU. a trabajar codo a codo con ella. Siempre le repetía que la situación sociopolítica en Venezuela continuaba en decadencia y que en el norte podrían ofrecerles una mejor calidad de vida a sus hijas. Que si bien se trabajaba muy duro, también había seguridad y mejores resultados.

Rossana consiguió su visa y se fue a Estados Unidos, mientras que Fanny se quedó en Venezuela trabajando por sus hijas. Como fuera, la amistad entre Rossana y Fanny se mantenía a pesar de la distancia. Constantemente se hacían videollamadas, en especial cuando Rossana tenía un nuevo logro en Estados Unidos, como cuando pudo comprar su casa. Otra cosa que dijo con mucho énfasis fue que Rossana era muy detallista y le gustaba tener las cosas lindas, muy ordenaditas, y compartir todos esos momentos con la gente que quería.

Quizá una de las descripciones más profundas que me dio su amiga fue que Rossana era una mujer con mucho guáramo[1] para las decisiones, aunque aseguró que en muchas cosas no se entendían porque pensaban de forma totalmente distinta. Sin embargo, como amigas supieron valorarse una a la otra. Eso hizo que el poco tiempo que compartieran en persona o a distancia fuese muy valioso.

La conversación concluyó con un «siempre le estaré agradecida por los detalles tan bonitos que nos enviaba a mi familia y a mí».

Llevo casi dos años siguiendo el caso de Rossana. Su cara en las fotos me hacía imaginar en silencio cómo era en persona, pero gracias a Fanny y un mensaje de voz que compartió conmigo pude finalmente aproximarme un poco más a su personalidad real. Se trataba de un mensaje que le

Capítulo I

---

1 Venezolanismo que indica carácter de iniciativa para llevar a cabo una acción.

envió Rossana a Fanny, en el que le decía «gracias a ti por hacerme el favor, ya sé que tú estás ahí para llamarte para esas cuestiones». Fue entonces cuando pude ponerle sonido al rostro que me acompañó durante largos días y noches de investigación ardua. Es ese tono de voz que no deja dudas de que Rossana siempre fue una mujer agradecida con los suyos, y que hoy yo podría esperar en alguna parte de mi corazón que me agradeciera por querer contar su historia.

Seguramente pensarán que no he ofrecido ningún dato técnico, profesional o incluso científico, sino solo sentimentalismos sobre Rossana Delgado y quienes la conocieron. Sin embargo, creo que no hay mejor forma de conocer a las personas que a través de los recuerdos de quienes compartieron vida con ellas y pudieron hacerse un juicio personal al verla conducirse en la vida: son los únicos capaces de decir quién era ella en realidad, porque más allá de brindar una apreciación periodística al respecto, el caso de Rossana Delgado es algo que cambió mucho mi vida y mi carrera profesional, pero que también tocó una parte muy personal dentro de mí.

Y lo repito, es la verdad, nunca conocí a Rossana en persona. Sin embargo, a través de todas las historias y de los hechos que he podido comprobar haciendo un seguimiento investigativo de su caso, ahora la conozco bien. Es por eso que sé que se merece una voz que cuente su historia y que vaya más allá de todo lo que se ha mencionado acerca de ella en los diarios, en noticias y en la boca de muchos, sin importar si eran cuestiones reales o no.

Rossana lamentablemente no está, y es la única que vivió y sintió la tragedia que la envolvió. Por eso merece esta oportunidad de defensa frente a una sociedad que hasta ahora no ha querido escucharla.

Así que esta era Rossana: una mujer venezolana, esposa y madre de dos hijos, una persona empática, sincera, luchadora e interesada por los suyos. Esta era Rossana y esta es su verdadera historia.

Capítulo I

Trabajadora de Uber venezolana está desaparecida en Atlanta

Desaparecida venezolana conductora de Uber en Atlanta

23 de abril de 2021

La venezolana Rossana Delgado, quien trabaja como conductora de Uber en la ciudad de Atlanta, en Georgia, Estados Unidos, está desaparecida desde el pasado viernes 16 de abril.

La mujer se comunicó con su esposo ese día en horas de la tarde cuando se encontraba trabajando. Le indicó que culminaría sus labores en aproximadamente 30 minutos y luego se iría a casa, pero no apareció.

Inicio - Hoy - Nacional > Buscan a Rossana Delgado, una madre hispana desaparecida

Buscan a Rossana Delgado, una madre hispa[na] desaparecida

Rossana Delgado está desaparecida en Georgia desde el 16 de abril, es una ma[dre que] se dedica a manejar un taxi. Su esposo pide ayuda

Por Victoria Lugo

SHERIFF JUD SMITH
BARROW COUNTY SHERIFF'S OFFICE
CRIMINAL INVESTIGATIONS DIVISION

233 East Broad Street, Winder, GA 30680

Missing Person

ROSSANA DELGADO (age 37) was reported as missing to the Barrow County Sheriff's Office. ROSSANA DELGADO is described as 5'5" tall and approximately 134 pounds. ROSSANA DELGADO has blonde hair and green eyes. ROSSANA DELGADO's last known whereabouts were in Doraville, GA on Saturday, April 17, 2021. ROSSANA DELGADO was last seen driving a 2017 Red Ford Focus, tag number RUZ0932. If you have any information on ROSSANA DELGADO's location, please contact the Barrow County Sheriff's Office.

Lt. Wilkerson 770-307-3080 X. 1108
jason.wilkerson@barrowsheriff.com

911 CENTER: (770) 307-3122

CAPÍTULO II

LA LLAMADA
DE AYUDA

«La pasividad es lo mismo que defender la injusticia».

Deepak Chopra

 penas despuntaba la mañana del lunes 19 de abril. Transcurría el 2021 y yo me preparaba para iniciar mi jornada laboral como productor digital de la web de Noticias 34 Atlanta. Con un café en la mano y sin expectativas diferentes a las de cualquier día de trabajo, tengo que admitir que no podía divisar cómo este día sería diferente a los otros en los que simplemente trataba de ser mejor profesional al investigar y exponer la verdad.

Si me lo preguntan, ser productor digital de una web es un trabajo para gente apasionada que necesita estar vigilando en el mundo digital lo que es noticia en ese segundo que al siguiente es totalmente insignificante. Una noticia te posiciona como la web más vista en un instante, y al siguiente otros cientos de medios reciben la misma atención. Así que era un reto para mí mantenerme alerta todo el día todos los días ante cualquier noticia de última hora que pudiese acaparar las miradas de los espectadores mientras desarrollaba alguna que otra historia en frío, que eran las que me permitían establecer un nivel de investigación y mostrar una realidad poco popular.

Seguí pensando en todo y en nada a la vez mientras tomaba mi café, eran las diez y veinte de la mañana. Súbitamente, llegó la notificación de un mensaje en el buzón de entrada de mi Facebook pidiéndome ayuda para hallar a una taxista venezolana, madre de dos hijos, que había desaparecido en Atlanta.

Este llamado de ayuda es más frecuente de lo que me gustaría admitir; tras el nombre de *servicio público* son muchos los rostros de personas desaparecidas, sobre todo en un mundo hostil como lo es para los extranjeros. Sin embargo, tengo muy buenas razones para recordar este mensaje en particular, que decía:

«Hola, ¿cómo estás? Vivo en Denver, pero un amigo me envió esta información de una amiga que no encuentran en Atlanta. Para ver si la puedes publicar. ¡Gracias!».

Esta información iba acompañada del selfi de una mujer llamada Rossana, la que estaba desaparecida. Recuerdo que sentí pesar ante la imagen de aquella hermosa mujer con una silueta indudablemente venezolana. Detallé el anuncio por unos instantes, en los que la foto me sostuvo la mirada fija con unos ojos claros que enamorarían a cualquiera.

El selfi de la bella mujer, que respondía al nombre de Rossana Delgado, estaba acompañado de las palabras *missing person*, que eran coherentes con el medio donde se estaba diseminando la información en inglés. Por supuesto que los latinos que vivimos en Atlanta sabemos lo que significa: otra persona desaparecida con familiares desesperados por encontrarla.

Otros detalles se observaban en el anuncio que me estaban pidiendo publicar, como que fue vista por última vez el 16 de abril conduciendo un Ford Focus rojo con el número de placa RUZ0932, que era precisamente el coche que usaba para prestar servicios de taxi en la zona metropolitana de Atlanta.

Capítulo II

El caso podía sonar como uno más, una persona que se aleja de su entorno quizás para respirar del agobiante estrés al que nos enfrentamos a diario por las infinitas responsabilidades que debemos cumplir y que lamentablemente no se van a detener, tal vez sería como aquella famosa frase inventada que se le atribuye falsamente a Mafalda, «mundo párate, que me quiero bajar».

Pero este caso era diferente a cualquier otro. Quizás por tratarse de que era venezolana como yo me hizo interesarme aún más, porque para ese momento era extraño que algún coterráneo estuviera envuelto en una noticia, así que decidí atender el caso con urgencia.

La naturaleza del mensaje me llevó inmediatamente a la acción, por lo que decidí pedir cualquier dato o contacto adicional que pudiera servir para comunicarme con algún familiar, conocer más detalles sobre la desaparición, en qué circunstancia ocurrió y para descartar que se tratara de un escape de la realidad.

Envié un mensaje rápido para ayudarles a dar la mayor difusión posible a este hecho noticioso que seguramente les estaba cambiando la vida a sus familiares. Mi mensaje decía:

«¡Hola! ¿Tendrás algún contacto familiar con el que pueda hablar para que diga todos los detalles de la persona en cámara?».

Sin embargo, quien respondió mi mensaje lo hizo negativamente:

«Le expliqué a mi amigo que yo vivo muy lejos para publicar su desaparición en los medios de aquí. Por eso busqué páginas de Atlanta, para publicar la información allá, que fue donde ella desapareció. Tiene dos hijos y un esposo que está desesperado por encontrarla».

Fue entonces cuando entendí que la familia que había dado conmigo entre sus difusiones de búsqueda estaba radicada en Venezuela, y que no había mucho que pudieran hacer con esta gran distancia de por medio. No obstante, decidí darles mi número de contacto para cuando estuviesen dispuestos a rendir declaraciones para difundirlas en los medios que tenía a mi alcance.

Sin embargo, no me sentí en paz dejando el tema hasta ahí, por lo que ese día planteé la posibilidad de realizar un reportaje sobre la desaparición de una taxista venezolana en la junta editorial de Noticias 34 Atlanta, medio que me ha permitido desarrollar mi carrera profesional en Estados Unidos. Recibí la respuesta afirmativa que normalmente acompañaba mis sugerencias noticiosas para el día.

No fue sino hasta la una de la tarde cuando recibí la llamada de un número desconocido en mi teléfono personal. Al responder el teléfono se presentó un hombre llamado Yhonny Castro, el esposo de Rossana Delgado. Tenía una voz muy temerosa y entrecortada mientras intentaba explicarme a grandes rasgos lo que estaba sucediendo con la madre de sus dos hijos. Aparentemente Rossana no acostumbraba desaparecer sin decir dónde estaba, y el hecho de que ni él ni sus hijos hubieran podido comunicarse con ella era algo que lo mantenía en vilo mientras esperaba lo peor.

Sin pensarlo demasiado, acordamos un lugar para que yo pudiese hacerle la entrevista para conocer más detalles que nos ayudaran a realizar un poco más de investigación, y con algo de suerte encontrar a Rossana. Nuestro punto de encuentro fue el centro comercial Plaza Fiesta, ubicado en Chamblee en el condado de DeKalb, uno de los últimos lugares donde Rossana fue vista con vida.

A ese lugar, horas antes, el esposo había ido junto a la hermana y la prima de Rossana en busca de información. De hecho, intentó recabar todos los datos que pudiera para saber a qué hora y con quién estuvo ahí para recrear un rastro y saber por dónde comenzar a buscar, pero todas las respuestas que consiguió fueron insuficientes.

Nos encontramos a las dos de la tarde frente a una de las entradas internas de la tienda Ross y nos saludamos como si nos conociéramos de toda la vida. Creo que esa es una de las virtudes que tenemos los venezolanos, que sin conocernos, desde el primer momento en que sabemos que somos del mismo país nos convertimos en hermanos y podemos vernos envueltos en las mismas tristezas, alegrías y problemas del otro como si fuésemos una gran familia.

Yhonny estaba acompañado de su hijo mayor, la hermana de Rossana y su prima, un cuarteto que a simple vista se veía que iban a estar juntos e inquebrantables en la búsqueda, los cuatro compartían el mismo gesto de desesperación en sus rostros, acompañados de un grito silencioso en la expresión de sus ojos que indicaba como si estuviesen a punto de romperse a pedazos.

Capítulo II

41

En ese preciso lugar supe que tenía que ayudarlos, así que comencé a armar mi equipo: la cámara y el micrófono, que se habían convertido en mi mejor herramienta para ayudar. Comencé a hablar con Yhonny, y no pasaron dos minutos antes de que este rompiera en llanto, un llanto desconsolado que brotaba de lo más profundo de su ser, unas lágrimas que reflejaban el inmenso miedo de no conseguir a su esposa, un temor que visiblemente le carcomía sus entrañas, con una voz bajita pedía a gritos cualquier ayuda para localizar a la madre de sus hijos lo antes posible.

Debo serles sincero, me conmoví al ver a un hombre que proyectaba fortaleza cayéndose a pedazos por no saber dónde estaba su amor; yo le prometí mi ayuda, encontramos un punto de control en nuestra conversación y yo aproveché para comenzar a preguntar la última vez que supo de Rossana. Entonces Yhonny me dijo que habló con ella por última vez el viernes 16 de abril en la tarde, es decir, tres días antes.

—Mi esposa me llamó a las siete de la noche y dijo que estaba llevando a una muchacha al Ross de Plaza Fiesta, que la chica estaba haciendo unas compras —dijo con como si tuviera el recuerdo más fresco que cualquier otro referente a estos días—. Cuando le pregunté si ya se iba a devolver a casa, me dijo que había dejado mi comida lista —aguardó unos instantes, se aclaró la garganta y susurró lo siguiente—: Me dijo que cuando terminara de hacer la carrera regresaría a casa —entonces su voz se volvió a entrecortar y bajó la mirada con desesperación—. Yo regresé a la casa y Rossana no ha llamado más desde entonces. Cuando intento llamarla el teléfono está apagado todo el tiempo.

Entre sus siguientes explicaciones, Yhonny me informó que logró determinar los últimos movimientos de Rossana por medio de una aplicación móvil. Fue así como aseguró que la penúltima ubicación en la que Rossana estuvo fue efectivamente en la tienda Ross en Plaza Fiesta, y su última ubicación determinable antes de que se apagara el teléfono fue en la cuadra 1400 de Panola Road, en Stone Mountain.

A pocos metros de ahí, en un lugar de almacenamiento de objetos apagaron el teléfono. Fue en ese lugar donde encontraron una mascarilla llena de sangre, pero hasta entonces no sabían si pertenecía a Rossana.

—En el lugar en el que apagaron el teléfono hallamos una mascarilla llena de sangre, pero no conseguí el teléfono —entonces rompió en llanto—. Hemos hecho todo lo humanamente posible para conseguir a mi esposa.

Recuerdo con detalle cada palabra que dijo Yhonny durante nuestra entrevista. Sé bien que cada cosa que comentó reflejaba el amor que sentía por ella, su deseo de verla regresar y la esperanza de que viera el mensaje que le envió por el noticiero de Univisión 34 Atlanta. Entre sus ruegos más desesperados recuerdo a Yhonny con lágrimas en los ojos diciendo: «Que la estoy buscando, que estoy agotando todos los medios posibles y siento que la vamos a conseguir». Y yo me uní a su esperanza y a su lucha de forma inequívoca, teniendo como norte encontrar a Rossana. Yhonny siempre creyó que la hallaría sana y salva.

Capítulo II

En medio de su desespero por conseguir respuestas, Yhonny denunció la desaparición de Rossana ante la Policía del condado de Barrow, jurisdicción a la que le correspondía la investigación por ser el sitio donde quedaba la casa en la que ambos vivían junto a sus dos hijos. Además, extendió el reporte a la Policía del condado de DeKalb y de la ciudad de Chamblee, donde está ubicado el Plaza Fiesta, último lugar público conocido donde estuvo. No obstante, ninguna autoridad le dio una repuesta oportuna sobre el paradero de Rossana, cada uno se desligaba de responsabilidades.

—Necesito mucha ayuda de parte de las autoridades, porque no puedo hacer esto yo solo —dijo, y yo sabía que él ciertamente se sentía un poco desolado en esa lucha. Y añadió—: Si emprendo la búsqueda solo las autoridades me amenazaron diciendo que podía perder mi libertad. Si estuviera en mis manos, yo estaría indagando en todos esos sitios en los que ella estuvo antes de desaparecer».

Uno de los detalles que pude conocer durante la conversación fue que Yhonny tenía varios videos de las cámaras de seguridad de la tienda Ross del Plaza Fiesta. En esas imágenes se podía ver a Rossana acompañada por una mujer haciendo algunas compras. Al tratar de identificar a la mujer, nos encontramos con que era completamente desconocida para la familia, pero no para Rossana. De hecho, por la forma como hablaban en el video parecía ser que ella y Rossana tenían cierta camaradería, e incluso la taxista pagó algunas de las compras que realizaron en el Plaza Fiesta antes de irse. Entonces la relación que guardaban estas mujeres no era simplemente de taxista-cliente.

Capítulo II

En el mismo video, que fue tomado desde el teléfono de Yhonny hacia los monitores de vigilancia, pude ver a ambas mujeres listas para pagar en la caja 5 de la tienda. La mujer oficial de seguridad del establecimiento que le mostró los videos a Yhonny describió el paso a paso de los últimos minutos de Rossana junto a la mujer en la tienda.

Entre las cosas que compraron había unos zapatos deportivos y brasieres. Durante el video y en reiteradas ocasiones le preguntaron a Yhonny si conocía a la mujer que acompañaba a Rossana, principalmente por la forma amena en la que se trataban durante las imágenes, pero él repitió que no la misma cantidad de veces que lo interrogaron.

Después de pagar por los productos que compraron, la cámara externa de la tienda la captó cuando ambas salieron del establecimiento y caminaron hacia el carro. Y es allí donde terminan las imágenes, debido a que el alcance de la cámara era muy limitado y no se sabe a ciencia cierta si abordaron el Ford Focus rojo o alguna otra unidad de transporte.

Yhonny me facilitó todo el material que consiguió en este proceso, con el fin de fundamentar la denuncia que él mismo acababa de hacer ante las autoridades. Y después de prometerle mi más sincera ayuda, además de comprometerme con su lucha, me puse en marcha para encontrar al objeto del amor y desespero de este hombre, que no dejó de hacerme ver lo imperativo que era para él conseguir a su esposa sana y salva.

Este caso me hizo sentir muy intranquilo desde el principio, ya que pude identificarme con la desesperación familiar del

Capítulo II

esposo de Rossana, y yo también deseaba que llegara a feliz término, así que puse toda mi atención en ofrecerles mis mejores recursos.

Avanzó la tarde y yo preparé todo para el reportaje de Noticias 34 Atlanta en su edición de las seis de la tarde. En el paquete noticioso incluí las entrevistas que les hice a la prima, la hermana y al esposo de Rossana. En todas ellas fue inequívoco el llamado de ayuda pidiendo todos los recursos que cualquier persona pudiera aportar para encontrarla lo antes posible.

Nos preparamos para la transmisión en vivo desde el Plaza Fiesta, y justo a las 5:58 p.m. inició el noticiero. Luego de pasar unos minutos, la coordinadora me dio las instrucciones para cuando diéramos inicio a la transmisión. Y fue en aquel reportaje en el que presentamos al estado de Georgia toda la información que conocíamos hasta ese momento. Aprovechamos la transmisión para difundir el video de la cámara de seguridad, con la esperanza de que alguien llamara y dijera «yo soy esa persona, yo estaba con Rossana en Ross», pero eso nunca ocurrió.

Ese día hubo quizás demasiadas expectativas, muchas preguntas y una realidad aplastante y frustrante que se sentía al no tener ninguna respuesta.

La respuesta de las comunidades venezolana e hispana en Estados Unidos fue prácticamente inmediata después de que difundimos la noticia de la desaparición de la taxista venezolana a través de la televisión. En Noticias 34 Atlanta comenzamos a publicar la misma información en la web y en las redes sociales, y todos los medios noticiosos de habla hispana se hicieron eco de la noticia con el mismo propósito: encontrar a Rossana.

Docenas de medios venezolanos e internacionales comenzaron reproducir la información; familiares, amigos y allegados se sumaron a un movimiento para pedir ayuda a fin de dar con el paradero de Rossana. Otra respuesta bastante impresionante fue que varias líneas de taxis en metro Atlanta organizaron una concentración el jueves 22 de abril en el estacionamiento de un supermercado en Peachtree Road en la ciudad de Atlanta. En esa concentración estuvo presente no solo la familia de Rossana y otros taxistas que laboraban con ella, sino madres que se veían reflejadas en el caso de Rossana y llegaron para apoyar y solidarizarse.

Durante ese mismo jueves 22 de abril, el Buró de Investigaciones de Georgia (GBI) que estaba encabezando el caso de la desaparición de Rossana Delgado acudió hasta su casa por recolectar muestras de ADN.

Sin embargo, transcurrían los días con el mismo clima de incertidumbre que presentaba muchas más dudas que respuestas.

Durante la noche del viernes 23 de abril, otro grupo de personas se concentró a las afueras del Plaza Fiesta para entregar volantes con la fotografía de Rossana e información sobre su desaparición. Los asistentes y los taxistas que organizaron las reuniones tenían planeado realizar una vigilia que posiblemente contaría con la participación de la familia de la venezolana. No obstante, nunca llegaron.

Capítulo II

Pero el evento sí se llevó a cabo. Duró aproximadamente dos horas y mientras repartían volantes a las personas que transitaban por la zona, corría también el fuerte rumor de que la familia no se presentó porque seguramente ya tenían noticias de qué había pasado con Rossana Delgado. Como fuera, ninguno de los rumores pudo confirmarse y la familia no apareció para dar ninguna versión oficial.

Para ese viernes ya se cumplía una semana de la última vez que se supo de Rossana, y todavía no había ninguna respuesta sobre su paradero.

Recuerdo que una de las preocupaciones más fuertes dentro de la comunidad hispana en metro Atlanta era que se tratara de una ola de secuestros de mujeres. De hecho, muchas chicas se comunicaron conmigo para saber si habían reportado más casos similares, y siempre di la misma respuesta: no había nada similar ocurriendo de forma simultánea o histórica con la desaparición de Rossana Delgado.

Mientras continuaba con el curso de mis propias investigaciones, sin encontrar respuestas, hubo ciertas cosas que pude notar y que me llevaron a una conclusión que muy pronto sería conocida por todas las personas que seguían el caso, que ayudaron a buscar información o que incluso cuidaron de la familia de Rossana: este no era un secuestrador o asesino serial, sino que se trataba de un hecho sin precedentes que sacudiría hasta la fibra más firme de los huesos de quienes estábamos siguiendo el caso de cerca y sufriéndolo como si fuese nuestro.

Capítulo II

REGALO PARA EL LECTOR

Capítulo II

CAPÍTULO III

EL HALLAZGO
DE ROSSANA

«Siempre es el momento apropiado
para hacer lo que es correcto».

Martin Luther King

Creo que no hay y nunca habrá una preparación lo suficientemente adecuada para el momento en el que te arrancan una esperanza que cultivaste así fuese por algunos días. Como periodista se me hizo imposible desligarme del desarrollo del caso de Rossana Delgado durante esa semana, por eso estuve demasiado pendiente de sus familiares y de todos los detalles que pudieran ayudarnos a llevarla de vuelta a casa.

Sin embargo, transcurría el sábado 24 de abril, a ocho días exactos de la desaparición de Rossana, aproximadamente a las cuatro de la tarde. Yo estaba en un restaurante hispano en Suwanne, Georgia, cuando recibí la llamada de un colega que estaba encargado de actualizar la página web de Noticias 34 Atlanta durante los fines de semana. Sus palabras fueron concisas y rápidas, dijo:

—Hermano, revisa el centro de noticias del GBI —tras un segundo atropelló sus palabras para continuar hablando—, encontraron a Rossana Delgado y está muerta.

Realmente no recuerdo si fui capaz de articular una respuesta para la información que acababa de darme. Solo recuerdo que corté la llamada y sentí el mundo nublarse a mi alrededor. Ignorando totalmente mi entorno, comencé a hiperventilar sin poder evitarlo. Aquella noticia me cayó como un tobo de agua con hielo sobre la cabeza mientras todos los escenarios que seguían a continuación se dibujaban con lentitud en mi mente. Pero este momento de profunda pena solo me permitía imaginar cómo se sentiría la familia de Rossana, quienes siempre tuvieron la esperanza de hallarla con vida. Escribiendo estas líneas revivo cada minuto, cada segundo de aquella tarde, y de recordarlo la respiración se me vuelve a trancar.

Me tomó un par de minutos reaccionar, y entonces recordé que era mi deber informar a quienes seguían de cerca la noticia por Univisión 34 Atlanta. Enseguida me comuniqué con mi jefe para informarle sobre la última actualización que acababa de recibir, y en una corta reunión telefónica decidimos hacer un *live* por Facebook. Puedo decir sin temor a equivocarme que fuimos el primer medio en informar sobre el hallazgo de los restos de la taxista venezolana, aunque ciertamente no puedo alardear de esto como un logro profesional ni nada similar. Aquella fue una de las peores noticias que he podido dar. Los periodistas siempre esperamos que las historias que presentamos tengan un final feliz, pero esta era la realidad, la más cruda y absurda realidad.

Era mi deber ser corresponsal de esta información y yo tenía la saliva espesa al siquiera pensar las terribles palabras que estaba por pronunciar frente a todos aquellos que recibieran la notificación en sus teléfonos de que había una nueva noticia tan importante que no podía esperar hasta la emisión vespertina del noticiero.

Tan pronto inició el *live,* casi mil personas estaban conectadas en tiempo real, y a medida que más y más personas se unían no cesaban los mensajes para que comenzara a hablar, pero mi voz por segundos enmudeció. Mi respiración estaba muy agitada y por un momento incluso sentí que no podría dar la información. Respiré profundo un par de veces, y tratando de desligarme de la información que estaba dando, comencé a leer los datos que había recabado para dar la información de la forma más profesional posible. Entonces fue la primera vez que lo dije en voz alta: Rossana Delgado está muerta, los restos de la taxista venezolana fueron encontrados en una cabaña en el condado de Gilmer por los efectivos de la Oficina del Alguacil de ese condado. Esas palabras retumbaban en mi mente cada segundo, era como si mi subconsciente no quisiera admitir la realidad, una dura realidad.

Hasta el momento no había mucha información oficial de cómo murió o de qué forma fueron encontrados los restos de Rossana. No obstante, las autoridades emitieron órdenes inmediatas de captura contra cuatro personas que identificaron como Allison Colone, de 30 años de edad, habitante de Stone Mountain Georgia; José Ayala, de 35 años, habitante de Gainesville, Georgia; Oswaldo García, de 26 años, habitante de Austell, Georgia; y Alfredo Juárez, de 29 años, perteneciente a Oklahoma City, Oklahoma.

El otro dato importante que se dio a conocer durante el anuncio de la muerte de Rossana Delgado fue la existencia de un quinto sospechoso. Aparentemente, durante el hallazgo del cuerpo los oficiales del GBI encontraron cámaras de seguridad de la cabaña y aledañas al sitio donde fueron encontrados los restos de Rossana, y entre las imágenes

Capítulo III

figuraba el rostro de un hombre que no habían podido identificar hasta ese momento.

Los lamentos no se hicieron esperar en la cantidad de mensajes que desbordaban la transmisión, cada vez más y más personas se sumaban a escuchar los detalles sobre el hallazgo de los restos de Rossana, por lo que me dediqué a repetir la misma información varias veces, incluyendo los detalles que teníamos en ese momento.

La investigación del hecho fue muy hermética y durante las primeras horas los detalles fueron escasos, mientras las autoridades daban rienda suelta a la búsqueda de los sospechosos que fueron situados en la escena del crimen, es decir, en donde fueron hallados los restos de Rossana.

Después de que anuncié el *breaking news* los demás medios comenzaron a replicar nuestra información una y otra vez con un alcance que todavía no llego a dimensionar. Casi de forma paralela, muchos colegas de otras ciudades de Estados Unidos comenzaron a contactarme para hablar sobre el caso de la taxista venezolana, sobre la investigación que habíamos hecho y de lo que sabíamos sobre el más reciente hallazgo. La noticia se esparció como pólvora, la comunidad hispana de Georgia estaba impactada por lo que le ocurrió a Rossana Delgado y los hechos, en lugar de responder a las dudas que había hasta ese momento, estaban levantando muchas más interrogantes con respecto a las circunstancias que rodeaban el crimen.

Tanto la audiencia como los investigadores estaban sorprendidos, y comenzaban a preguntarse si la mujer que aparecía en el video junto a Rossana Delgado en la tienda Ross era Allison Colone, alias Grace Beda, que era la primera mujer mencionada en el boletín del GBI como sospechosa del asesinato de la venezolana. Sin embargo, no tardamos en darnos cuenta de que, por las características físicas y la fotografía de la sospechosa, era casi imposible que se tratara de la misma persona.

El domingo 25 de abril, el GBI publicó la fotografía del quinto sospechoso que se podía observar caminando por la parte trasera de la cabaña en la que fue hallada Rossana Delgado. Todavía no conocían su identidad, pero esperaban que al publicar la fotografía la comunidad pudiera ayudar a identificar y hallar al sospechoso para que compareciera ante la ley por su relación con el asesinato. Sin embargo, las respuestas en relación con esta búsqueda no fueron mucho más fructíferas que las anteriores veces en que se solicitó información a la comunidad.

Luego de dos días, el 27 de abril finalmente el GBI decide publicar, en sus redes sociales y demás medios, el video de la mujer que aparece con Rossana en las cámaras de seguridad de Ross en el Plaza Fiesta. Hasta ese momento, esta mujer solo era una persona de interés en el caso porque fue probablemente la última persona que interactuó con Rossana antes de sus asesinos, por lo que la difusión de este tema creció mucho más y fueron demasiados los interesados en ayudar a dar con los responsables de este crimen tan atroz que dejó sin madre a dos niños, y a toda una familia completamente desolada.

Capítulo III

La verdad

@laverdad356 · 287 suscriptores · 2 vídeos

Más información sobre este canal >

INICIO   VÍDEOS   LISTAS   CANALES   INFORMACIÓN   🔍

Subidas ▶ **Reproducir todo**

La verdad de Rossana Delgado segunda parte

15 K visualizaciones · hace 2 años

La verdad sobre Rossana Delgado (Atlanta)

62 K visualizaciones · hace 2 años

CAPÍTULO IV

UN VIDEO
ANÓNIMO

«No se deje engañar por lo que aparezca en la superficie. En las profundidades es donde todo se vuelve ley».

Rainer María Rilke

Los días siguientes se centraron en el hallazgo de quienes las autoridades señalaron como primeros sospechosos. Como investigador, centré mis esfuerzos en difundir toda la información que pudiera ayudar a darle justicia a la muerte de esa mujer con la que me sentí tan identificado desde el momento de su desaparición. Sin embargo, antes de presentar los datos que encontré durante mi investigación y que hoy se reconocen como los hechos del caso, debo mencionar uno que enturbió el curso de la investigación y cambió la forma como se estaban abordando las noticias sobre Rossana Delgado hasta ese momento.

El 17 de mayo de 2021 fue creada una cuenta en YouTube de un usuario anónimo llamado *La verdad*. Esta persona publicó dos videos con el título «La Verdad sobre Rossana Delgado» primera y segunda parte, respectivamente. Los videos no suman más de siete minutos unidos y recuperan una serie de fotografías tomadas de las redes sociales de Rossana y otros involucrados, mientras una voz en off totalmente artificial y sin rastro de la voz real del creador, ofrece una explicación de parte de una mujer que supuestamente fue víctima de una red de trata de blancas y narcotráfico que Rossana lideraba para una organización criminal mexicana.

En el inicio del video, la voz recita: «Esta, es la verdad sobre Rossana Delgado», y comienza a soltar información sin confirmar a diestra y siniestra, vinculando a Rossana, su

61

esposo Yhonny y a uno de sus hijos en hechos criminales no solo en los Estados Unidos, sino en su país natal.

El video se volvió viral rápidamente y generó mucha controversia que puso en el ojo del huracán a la taxista venezolana con información sin confirmar, que la vinculaba con una red de tráfico de drogas y de personas asociadas a un cartel liderado por alias el Pelón o Lamboringa proveniente del Infiernito, en Michoacán, México. Sin embargo, por más que traté de localizar por mi cuenta esta dirección usando diversos medios, no pude encontrar ningún espacio geográfico que llevara ese nombre o se le conociera de esa forma entre los círculos de narcotráfico.

En el video también se decía que Rossana Delgado era la principal encargada de los laboratorios de procesamiento de drogas en Georgia, así como del envío de grandes cantidades de dinero a México. Además, la mujer en el video aseguraba que Delgado era la taxista personal de los líderes de la organización cuando viajaban de México a Atlanta, y que en muchas ocasiones era la encargada de transportar a las mujeres que eran secuestradas por el cartel para prostituirlas, así como a los hombres para trabajar como narcotraficantes. De hecho, durante el video la autora parece declarar que la mujer que estaba con Rossana en la tienda Ross era una de sus capturas, que estaba haciendo compras para llevarlas a una de las localidades donde mantenían cautivas a las personas que secuestraban para trabajar para ellos.

A pesar del gran revuelo que causó esta información, no fue tomada en serio por las autoridades. Me sorprende decir que aún hoy la cuenta de YouTube continúa abierta y exhibiendo esos únicos dos videos que fueron inmediatamente descartados por los investigadores por falta de conexiones con el caso. De hecho, el GBI aseguró casi de forma inmediata que el material audiovisual solo buscaba distraer a la opinión pública y a los encargados de la investigación de las causas reales que llevaron al secuestro y asesinato de Rossana Delgado.

No se podía olvidar en ese momento que eran muchos los aparentes involucrados en un crimen dantesco. Rossana fue hallada desmembrada y quemada en una cabaña en el condado de Gilmer el 20 de abril de 2021, y aunque los motivos no estaban claros, el hecho de mencionar al narcotráfico mexicano parecía marcar una línea coherente de acontecimientos que más adelante serían explorados en profundidad.

Capítulo IV

CAPÍTULO V

LOS HECHOS

«Las apariencias engañan la mayoría de las veces; no siempre hay que juzgar por lo que se ve».

Molière

Lo primero a lo que tuve que enfrentarme en este caso fue a la profunda decepción de buscar a esta mujer, madre y esposa junto a sus familiares cercanos durante casi una semana para que el hallazgo no solo fuese fatal, sino tan terrible como podía ser: una mujer desmembrada, quemada y abandonada en una cabaña apartada de la civilización como si no se tratase de un ser humano.

Solo de pensarlo hacía que se me vaciara el estómago mientras sentía esa profunda decepción amarga de que quizás ninguno de nosotros había hecho lo suficiente para ayudarla.

Sin embargo, estos eran los hechos: Rossana había sido asesinada de forma macabra por un grupo de personas que tenían cierto nexo con el crimen organizado.

Según documentos de la Fiscalía de Appalachian en el condado de Gilmer, el secuestro y asesinato de Rossana Delgado comenzó a planificarse y a ejecutarse desde el 12 de abril de 2021, cuatro días antes de la desaparición de la taxista venezolana. El desenlace del crimen ocurrió el 30 de abril de ese mismo año, es decir, 18 días después, con la fuga de los sospechosos a México.

El documento judicial detalla que Eduardo Morillo, quien está detenido en una cárcel del Departamento de Correcciones de Georgia, ordenó el asesinato de Rossana Delgado porque «se rompió la confianza entre ellos», dando a entender que tal vez la mujer sí tenía algún nexo criminal con la organización que Morillo manejaba en aquella época.

Actualmente, Morillo está cumpliendo una sentencia de trescientos meses de prisión, además de condenas estatales previas por tráfico de drogas que terminarán en 2034 sin derecho a libertad condicional.

Durante el 16 de abril de 2021 se inició al plan de secuestro y asesinato de Rossana Delgado, en el cual estuvieron involucradas al menos trece personas. Sin embargo, de acuerdo con los implicados, la orden era desaparecer cualquier evidencia que los relacionara con el crimen o con Rossana.

La planificación transcurriría de la siguiente forma: Carol Rodríguez, quien posteriormente fue identificada como «la mujer del Ross», que aparecía en los videos, y María Corina Chávez convencieron a Rossana de reunirse en el Plaza Fiesta. De hecho, los involucrados aseguran que esto sucedió a pesar de que en los videos de seguridad de la tienda Ross y el supermercado Fresco solo aparecía Carol Rodríguez junto a Rossana. Luego de realizar las compras con las que Rodríguez pretendía distraer a Rossana del objetivo real, ambas salieron del establecimiento y, según documentos judiciales, Rodríguez dejó su vehículo Ford Taurus dorado en el centro comercial para irse en el vehículo de Rossana, que sabemos que era un Ford Focus de color rojo.

Continuando con el engaño, Rossana es llevada a la casa de Allison Colone, que estaba ubicada en la cuadra 1400 Panola Road en Stone Mountain en el condado de DeKalb. En este lugar, días más tarde, el esposo de Delgado y su hermana confrontaron a Allison Colone siguiendo el rastro de Rossana a través de los testigos del hecho, pero en ese momento los familiares no sabían que ella era una de las responsables en el plan ejecutado para secuestrarla y asesinarla.

La investigación detalla que Alfredo Juárez estaba en la casa de Colone, y fue él quien esposó a Rossana y la mantuvo en cautiverio. Horas después, Rossana fue trasladada a otro lugar en el condado de Clayton donde continuó en su condición de cautiva. No obstante, en los informes las autoridades no revelaron cuánto tiempo pasó la víctima en la casa de Allison Colone o cuál fue la otra localización exacta en la que permaneció en el condado de Clayton.

Tras varios días de cautiverio, el 19 de abril Rossana fue trasladada por Alfredo Juárez y José Ayala desde la dirección desconocida en el condado de Clayton hasta una cabaña en la cuadra 300 Little Rock Creek Court, Cherry Log en el condado de Gilmer. De acuerdo con los documentos oficiales de la investigación, la cabaña es un lugar que fue rentado en la aplicación de alquileres temporales de propiedades por Allison Colone utilizando el nombre de Grace Beda, el alias con el que la identifican dentro de la organización.

La entrega del inmueble se coordinó pasadas las cuatro de la tarde del lunes 19 de abril. Luego de que Allison Colone notificó al propietario de la cabaña que ya estaba lista para ingresar a través de un mensaje de texto, el arrendatario le envió el código de seguridad de la puerta, y esta a su vez lo reenvió a María Corina Chávez, esposa de Oswaldo García.

Capítulo V

En la cabaña se les unieron Oswaldo García, Tony Vega y José Ayala mientras Rossana seguía con vida.

Según el informe de la fiscalía, ahí la mataron y la desmembraron con una motosierra. Entonces, colocaron todos los restos del cuerpo en un recipiente especial para la quema de basura y lo incineraron. En la escena, los investigadores hallaron pinzas y un refrigerador que tenía restos de sangre y tejidos.

Otro de los datos resaltantes que aparecen en los informes de la Fiscalía parecen indicar que Rossana fue traslada hasta la cabaña en una camioneta pick-up Ford F-150 blanca comprada por Allison Colone en un concesionario del condado de Hall por 14000 dólares. En ese mismo lugar, también compraron un Buick Regal por 7925 dólares, y usaron ese vehículo posteriormente para llegar a la frontera con México y escapar de la justicia estadounidense.

Durante las investigaciones se sumaron dos personas a la lista de acusados. Una de ellas fue Jean Maxwell, quien llamó para hacer una reservación por cuatro días en el hotel Residence Inn en el condado de Cobb. Dicha reservación tenía fechas del 20 al 24 de abril, y tuvo como propósito resguardar a Allison Colone y otros implicados antes de que pudiesen huir a México.

Maxwell además transportó a José Ayala hasta la frontera con México para que este finalmente pudiera escapar al país vecino.

La lista de trece personas involucradas está completa con la participación de Peter Harvard, quien según los documentos judiciales coordinó con Allison Colone para desmantelar los vehículos involucrados en el asesinato de Rossana Delgado incluyendo el Ford Focus rojo que ella conducía en el momento de su desaparición y que fue abandonado el mismo 16 de abril en el estacionamiento de Planet Fitness ubicado en al sur de Atlanta.

En la actualidad sabemos que, ante todos estos hallazgos, Colone, Rodríguez, Chávez, Ayala, Barbosa, García y Vega fueron acusados de violación a la ley anticorrupción y de formar parte de una organización criminal, además de asesinato con malicia, homicidio grave, secuestro, ocultar la muerte de otro, extracción de partes del cuerpo de la escena del crimen y agresión agravada.

Al resto de los implicados se les acusó de formar parte de la organización criminal, ocultar evidencias de un hecho punible, entre otros cargos asociados con la preparación y planificación de la muerte de Rossana Delgado.

A pesar de que todos estos son hechos comprobables, y que en efecto narran las horas terribles de zozobra que vivió Rossana antes de ser asesinada, no puedo evitar pensar que no aportaron en nada a las razones del macabro asesinato. Todas estas personas parecían odiar profundamente a esta mujer que, hasta donde yo sabía, no había dado motivos suficientes para merecer tanto recelo que deshumanizara el cuerpo de esa mujer a quien, sin miramientos, torturaron, desmembraron y quemaron con tanta saña y con la esperanza de que nunca pudiese ser encontrada o identificada.

Capítulo V

Entonces, a pesar de conocer los hechos y entender qué sucedió durante las últimas horas de vida de Rossana, eran muy pocos los detalles de su muerte que realmente se conocían hasta entonces.

Capítulo V

REGALO PARA EL LECTOR

Capítulo V

2021

abril

lunes 12

viernes 16

sábado 1

lunes 19

CAPÍTULO VI

CRONOLOGÍA

DETALLADA

DE LOS HECHOS

«No basta decir solamente la verdad, mas conviene mostrar la causa de la falsedad».

Aristóteles

Como investigador, tengo la vocación innata de encontrar la verdad, y la verdad siempre está respaldada por los hechos. Por eso creo que es importante tener una cronología de los acontecimientos que me ayudara a aclarar exactamente qué fue lo que sucedió, desde la planificación del secuestro hasta su consumación y huida.

Todos estos hechos fueron extraídos de informes oficiales, entrevistas personales con los acusados y toda clase de fuentes fidedignas que nos dieron una aproximación más cercana a lo que estaba sucediendo, para entender mejor la motivación de los asesinos.

Debemos recordar que la planeación del hecho comenzó apenas cuatro días antes de que iniciara su ejecución. Comparto con ustedes mi bitácora.

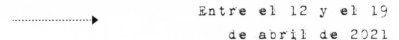

Entre el 12 y el 19 de abril de 2021

De acuerdo con los documentos judiciales que reposan en el archivo de la Corte Superior del Condado de Gilmer, entre el 12 y el 19 de abril, Allison Colone pagó en efectivo la compra de dos vehículos que utilizarían para perpetrar el plan, que incluía el traslado de Rossana, así como la huida del lugar de todos los implicados.

Los documentos de las transacciones financieras señalan que pagó en efectivo a un concesionario de vehículos en el condado de Hall la compra de dos unidades que servirían como medio de transporte de tipo vehículo particular.

El texto indica que Colone pagó inicialmente 14000 dólares para comprar un Ford 150 blanco que utilizarían José Ayala y Alfredo Juárez para trasladar a Rossana Delgado a la cabaña, ubicada en la 318 Little Rock Creek Court, en Cherry Log, en el condado de Gilmer, donde fue asesinada y posteriormente mutilada.

En ese mismo momento, Colone pagó 7925.33 dólares por la compra de un Buick Regal blanco, registrado a nombre de Oswaldo García. Este auto lo utilizó para trasladar a Tony Vega y José Ayala a la cabaña y posteriormente fuera de ella.

Capítulo VI

⋯⋯⋯▶   16 de abril de 2021

Carol Rodríguez y María Corina Chávez convencieron a Rossana de encontrarse en el Plaza Fiesta, pero en las cámaras de seguridad de los dos establecimientos que visitaron en el centro comercial, la tienda Ross y supermercados Fresco, Rossana solo se ve acompañada de Rodríguez. Ambas salen del Ross y, según documentos judiciales, Rodríguez dejó su vehículo Ford Taurus dorado en el estacionamiento del establecimiento comercial.

Posteriormente, bajo engaño, Rossana es llevada a la casa de Allison Colone ubicada en la 1466 Panola Road en Stone Mountain en el condado de DeKalb. Ahí estaba Alfredo Juárez, quien esposó a Rossana y la mantuvo en cautiverio. Luego, Rossana fue trasladada a otro lugar en el condado de Clayton. Las autoridades no revelaron cuánto tiempo pasó la víctima en la casa de Allison Colone ni el momento exacto en que fue trasladada a Clayton.

Mientras se mantenía el cautiverio de Rossana, Allison Colone se comunicó vía telefónica con Peter Harvard para coordinar un lugar donde pudieran desmantelar ilegalmente el Ford Focus rojo perteneciente a Rossana. Entonces le asignan este trabajo a Christopher Harvard.

Tras conseguir el lugar para destruir el vehículo de Rossana, María Corina Chávez, Tony Vega, Allison Colone, Patrick Harvard y Christopher Harvard intercambian fotografías de la ubicación del carro, que fue abandonado en el estacionamiento de Planet Fitness de la 854 Oak Street South West, en el condado de Fulton.

Capítulo VI

▶ 17 de abril de 2021

Horas después del secuestro de Rossana Delgado, Patrick Harvard y Christopher Harvard retiran el vehículo de Rossana del estacionamiento para destruir cualquier evidencia física de su participación, así como del secuestro y demás hechos delictivos llevados a cabo durante esos días.

Los informes policiales indican que el carro fue desmantelado entre el 17 y el 18 de abril en el condado de Newton.

→ 19 de abril de 2021

A las cuatro de la tarde, Allison Colone recibe el código de acceso a la cabaña que alquiló bajo el pseudónimo de Grace Beda. Posteriormente reenvía el código a María Corina Chávez, la esposa de Oswaldo García, y es así como los tres logran entrar a la cabaña.

Una vez que contaban con el acceso al Airbnb, Rossana fue trasladada por Alfredo Juárez y José Ayala desde una dirección desconocida en el condado de Clayton hasta una cabaña en la 318 Little Rock Creek Court, Cherry Log en el condado de Gilmer.

De acuerdo con los informes, Rossana llegó viva a la cabaña, y entre la noche del 19 y la madrugada del 20 de abril fue asesinada. Hasta el momento, las autoridades no han divulgado cómo murió exactamente, cuál fue la causa de muerte oficial o qué tipo de heridas sufrió. Lo que sí está claro, es que utilizaron una motosierra para desmembrarla

Capítulo VI

y posteriormente los restos fueron quemados en un recipiente especial para incinerar objetos.

Además, las autoridades hallaron en la escena un contenedor para incinerar las partes del cuerpo, una lona de plástico, alicates y un refrigerador. Estos objetos fueron tomados como evidencia por presuntamente haber sido usados durante la perpetración del crimen.

Ese mismo día, Elena Galicia Martínez pagó una gran cantidad de dólares en efectivo para conseguir el vehículo Wolkswagen Routan en el que iban a transportar a Alfredo Juárez y a Carol Rodríguez desde Georgia a México.

Capítulo VI

········▶   20 de abril de 2021

La Oficina del condado de Gilmer publicó en sus redes sociales sobre el hallazgo de los restos de una persona durante una visita de bienestar social, hasta ese momento no se había establecido una relación entre los restos encontrados y Rossana Delgado; horas después la publicación fue borrada.

Avanzada la tarde-noche de ese mismo día, funcionarios del GBI se comunican con los familiares de Rossana para realizar una recolección de muestras de ADN en su vivienda, según sus argumentos, como parte del proceso de investigación.

Mientras tanto, tras consumar el asesinato y desmembramiento de Rossana, Allison Colone se comunica con Peter Harvard para localizar un lugar clandestino para acabar y destruir el Ford F-150 que fue abandonado en el estacionamiento de Rose Garden Park en el condado de Fulton. El Ford F-150 fue el vehículo utilizado para trasladar a Rossana Delgado al condado de Gilmer y todos los demás objetos encontrados.

Pasado el mediodía del 20 de abril de 2021 Jean Maxwell reserva una habitación en un hotel en la ciudad de Smyrna para que Allison Colone se ponga a resguardo. La reserva fue solicitada desde el 20 al 24 de abril.

Entre el 20 y el 23 de abril Christopher Harvard destruye las evidencias físicas relacionadas con el vehículo Buick Regal Blanco que de acuerdo con los documentos judiciales estuvo en la cabaña donde fue asesinada Rossana Delgado. Esto sucedió en el condado de Jasper, Georgia.

Entre el 23 y 26 de abril Allison Colone contrata los servicios de Sean Callaway para coordinar el trasladado desde Georgia hasta Texas de otra parte de los acusados por el asesinato de Rossana Delgado. Callaway contrata a Tabby Garner, quien es finalmente la que conduce el vehículo Volkswagen Jetta que llevó a la frontera con México al resto de los señalados.

Capítulo VI

82

·····················▶ El 24 de abril de 2021
Jean Maxwell ocultó para protegerlo a José Ayala
y luego lo trasladó hasta la frontera entre Estados
Unidos y México por el estado de Texas.

Capítulo VI

CAPÍTULO VII

UN ÚLTIMO ADIÓS A
ROSSANA DELGADO

«Llorar es hacer menos profundo el duelo».

William Shakespear

Luego de estar rodeado de las evidencias, los asesinos y tantas situaciones que parecen más bien deshumanizar el hecho de que probablemente secuestraron, torturaron, asesinaron y desmembraron a una mujer, es difícil pensar en ello de nuevo de forma objetiva.

Hay una profunda reflexión detrás de esto, pero estoy seguro de que jamás hubiese podido ser capaz de obtenerla de no ser porque no solamente leí los informes, sino que compartí con los familiares y estuve al frente de la investigación de Rossana durante esas largas semanas en las que la indignación, tristeza y sed de justicia se apoderan de cualquiera que tenga un corazón latiendo en el pecho.

Y esa reflexión y apreciación de lo efímera que es la vida, así como lo desalmados e inhumanos que pueden ser algunos, no habría sido posible si no hubiese formado parte de la despedida de esta gran mujer, a la que no conocí en persona, pero que busqué desesperadamente durante casi una semana.

Transcurría el 29 de abril de 2021. Casi un centenar de personas se dieron cita en la iglesia Misión Católica de Nuestra señora de las Américas, ubicada en el 4603 Lawrenceville Hwy Lilburn, Georgia, y todos estaban ahí para recordar y dar un último adiós a Rossana Delgado.

Hay detalles que puedo recordar como si estuviese cruzando el atrio de la iglesia, como la urna con las cenizas de Rossana, que reposaba en el centro de la capilla, y las miradas entristecidas acompañadas de un silencio que se apoderaba de sala como un grito silente que narraba la injusticia real detrás de lo que sucedió.

La ceremonia póstuma, que duró casi una hora, provocó llanto en muchos de los asistentes. Una vez que finalizó, los familiares y allegados dieron inicio una corta procesión de la urna con los restos, que comenzó desde el centro de la iglesia y culminó justo en la puerta del recinto.

En un acto solemne, bajo un cielo gris oscurecido por las circunstancias, los asistentes a la ceremonia levantaron sus manos y lanzaron globos blancos que simbolizaban la necesidad de paz y pureza ante la violencia de estos terribles hechos. Pero no había gozo en ningún gesto, sino que los asistentes se apartaron en silencio dejando a una familia desolada que ahora tendría que iniciar una nueva vida, una vida con una familia incompleta, una familia de cuatro que de ahora en adelante será de tres.

Recuerdo que Yhonny se apartó para ofrecer algunas declaraciones a los medios de prensa que estábamos en el recinto. Sus palabras fueron muy precisas. En sus facciones se podía ver un profundo dolor y amor por su esposa, cuya urna de cenizas reposaba en sus manos y de la que ahora tendría que despedirse.

—Va a ser difícil —inició sus palabras mientras sus ojos se llenaban de lágrimas hasta desbordarse—. No va ser fácil porque fueron veintidós años a su lado. Me fui con ella cuando tenía tan sólo quince años y yo dieciocho. Y fuimos a comernos el mundo, a luchar —recordó mientras aún

Capítulo VII

lloraba—. Solamente le pido a Dios, de verdad, que él les dé el perdón o les dé su divino castigo.

Y esas palabras refiriéndose a los asesinos, que no habían sido capturados en ese momento.

Al preguntarle cómo era Rossana, Yhonny contestó:

—Era una persona demasiado alegre, una persona demasiado buena y ocurrente. También era una mujer fuerte, una que simplemente no se dejaba vencer ante cualquier obstáculo. Era simplemente ella, era una mujer hermosa.

Esta fue la oportunidad perfecta para que Yhonny dijera frente a todos los medios quién realmente era Rossana, relatar su historia y contar su versión de lo que era y lo que debió ser.

Yhonny y Rossana llegaron a Estados Unidos en septiembre de 2016. Venían como inmigrantes desde Venezuela, donde la situación del país los obligaba a buscar mejores alternativas para sus hijos.

—Desde que llegamos a los Estados Unidos lo que hicimos fue trabajar, trabajar y trabajar, echando para adelante —rompió a llorar nuevamente dejándonos un sabor amargo en la boca a todos—. Y aquí quedó ella, en los Estados Unidos.

También le preguntamos a Yhonny sobre cómo se sintió al conocer los rostros de los implicados en el asesinato de Rossana. Sus declaraciones fueron suficientes, y lo sabrían solo con el hecho de ver su rostro. Expresó que se sentía muy impotente y culpable al ver la foto de Allison Colone, la misma mujer que confrontó el día que fue a la última ubicación de Rossana antes de que apagaran su teléfono.

Capítulo VII

—Me sentí culpable, me sentí culpable porque yo llegué a esa casa, y yo no sé si porque el policía no me hizo caso, o porque yo no hice suficiente, no pudimos salvarla —se recriminó con frustración—. Ese día, tal vez, yo llegué a esa casa y cometí un error. Tal vez fue por eso que esa gente le hizo daño a mi esposa.

Yhonny siguió desahogándose por el inmenso dolor que le desgarraba el alma, ya que en su persecución estuvo muy cerca de hallar a su mujer, que permanecía en cautiverio.

—Casi recupero a mi esposa ese día, yo sé y lo siento, mi corazón lo dice. Ella estaba en esa casa —recordó con pesar—. Y a aquel oficial, también le pido mucho a Dios que lo perdone porque él no me ayudó, él tuvo en sus manos el poder para que yo pudiera rescatar a mi esposa, pero ese día él no me quiso dar la ayuda que yo necesité.

Y entre un sabor amargo que deja la despedida de un ser que se amó tanto, y un grito desesperado por encontrar justicia ante un hecho tan atroz, Rossana Delgado finalmente fue despedida por aquellos que la amaron, y rogaron a Dios por que encontrara paz en su alma tras haber tenido un final tan difícil, triste y violento.

Capítulo VII

REGALO PARA EL LECTOR

Capítulo VII

CAPÍTULO VIII

LOS PRIMEROS
ARRESTADOS

«Mira dos veces para ver lo justo».

Henry F. Amiel

Entre los detalles más interesantes de este caso me encontré con que las autoridades hallaron sospechoso tras sospechoso e impusieron órdenes de captura. Es un detalle surrealista, porque pareciera que todos los responsables estaban a la vista y solo debían ser atrapados, aunque esto no tiene nada de simple en la práctica.

Otra cosa que me sorprendió mucho fue que hubo demasiadas personas involucradas en este caso. Los perpetradores del asesinato fueron al menos cinco, y otros ocho más que totalizaban trece personas que llevaron a cabo acciones cruciales para realizar la planificación completa, así que la justicia tendría bastante trabajo al sentenciar a quienes se convirtieron en jueces y verdugos de Rossana Delgado. Así que, mientras que se perseguía la verdad tras los hechos que condujeron a su muerte, nos encontramos con los primeros arrestados que ahora comparecen ante la justicia de los Estados Unidos.

Christopher Harvard

El 30 de abril de 2022, el Buró de Investigaciones de Georgia (GBI) informó que habían arrestado a un sospechoso relacionado con el caso del secuestro y asesinato de Rossana Delgado. Lo interesante es que se trataba de una persona que no estaba incluida en la lista de los primeros cinco sospechosos que eran buscados por las autoridades por aparecer en un video que procedía de la cabaña donde fueron hallados los restos de Rossana.

El nombre del primer arrestado es Christopher Harvard, de 28 años, oriundo de Covington, Georgia. Fue puesto bajo custodia y acusado de varios delitos, entre ellos la alteración de pruebas relacionadas con un caso activo de investigación. Además, fue acusado de robo al recibir propiedad robada.

De acuerdo con los documentos del juicio, Harvard tuvo la tarea de buscar el carro Ford Focus rojo que conducía Rossana al momento del secuestro, y que ella utilizaba para laborar como taxista desde tiempo atrás.

El carro fue abandonado inicialmente en el estacionamiento de Planet Fitness, ubicado en la 854 Oak Street South West en Atlanta durante la misma noche del viernes 16 de abril de 2021. Esto sucedió después de que Rossana llegara a la última ubicación documentada por el GPS de su teléfono en 1466 Panola Road, Stone Mountain, y de la que tuvo registro su esposo a través de una aplicación antes de que apagaran el teléfono.

Igualmente, Harvard tenía en su taller un Ford 150 blanco y un Buick Regal blanco que pertenecían a dos de los sospechosos por el mismo homicidio.

De acuerdo con los archivos judiciales de la Corte Superior del condado de Gilmer, Allison Colone fue la encargada de contactar a Christopher Harvard para que recuperara el vehículo y procediera a destruirlo.

Desde el 16 de abril de 2021, María Corina Chávez, Tony Vega, Allison Colone, Patrick Harvard y Christopher Harvard estuvieron en comunicación para remover y destruir el Ford Focus rojo.

Sean Callaway, Justin White y Tabby Garner

El 26 de abril de 2021, las autoridades del estado de Texas arrestaron a tres sospechosos que estaban solicitados en el estado de Georgia por la investigación de un homicidio.

Para ser más precisos, una semana después de la muerte de Rossana Delgado, los oficiales del Departamento de Policía de Edna en Texas arrestaron a Justin White, de 38 años; Sean Callaway, de 38 años; y Tabby Garner, de 37 años.

De acuerdo con la minuta policial, el arresto de los tres se produjo después de que un oficial del Departamento de Policía de Edna se acercó a Tabby Garner. Esta mujer, según los investigadores, había sido contactada anteriormente por un oficial de la Oficina del Alguacil del condado de Jackson en Texas por invadir una propiedad en Farm-to-Market Road 530 cerca de la cuadra 1500 de East Rose Street en Edna.

Los documentos detallan que Garner admitió haber dejado a Justin White y Sean Callaway cerca de la carretera de la granja para buscar un vehículo que escondían. También admitió estar en posesión de metanfetaminas mientras esto sucedía.

Cuando se realizó el arresto, los investigadores incautaron chalecos antibalas, placas de chalecos antibalas y un AR-15 del vehículo de Garner después de una búsqueda exhaustiva por evidencias que los vincularan con el delito en cuestión.

Capítulo VIII

Inmediatamente después de arrestar a Garner, las agencias de aplicación de la ley del condado de Jackson comenzaron a buscar a White y a Callaway. En las horas siguientes, ambos hombres fueron arrestados y puestos a la orden de la Justicia del condado.

Una vez trasladados a Georgia fueron incluidos en el juicio del secuestro y asesinato de Rossana Delgado, porque según los documentos judiciales, Allison Colone y Sean Callaway «conspiraron entre sí para evitar el arresto de los cinco acusados iniciales por el secuestro y asesinato de la taxista venezolana».

Los documentos además incluyen estos detalles que son relevantes para el arresto de Callaway:

> Allison Colone contrató a Callaway para conducir un vehículo desde Georgia hasta Texas para proporcionar transporte a los vinculados con la investigación para que pudieran huir a México, así como darles albergue y protección después del asesinato de Rossana Delgado.

La reseña de la investigación adelantada por el GBI indica que Sean Callaway y Tabby Garner trabajaron en conjunto para evitar la detención de los fugitivos. Finalmente, fue Callaway quien contrató a Garner para manejar el vehículo que transportaría a los sospechosos por el asesinato de Rossana Delgado a la frontera entre Estados Unidos y México.

Capítulo VIII

El vehículo que condujo Garner desde Georgia a Texas fue un Volkswagen Jetta en el que la policía también halló armas de fuego, municiones, chalecos antibalas y fundas de armas de fuego. De la misma manera, los investigadores dicen que los arrestados tenían como propósito, además del traslado, facilitar un vehículo y armamento a los vinculados por el caso de la taxista venezolana.

Allison Colone, Oswaldo García y Tony Vega

No fue sino hasta el sábado 15 de mayo de 2021 que la Oficina de Investigación de Georgia, en colaboración con Investigaciones de Seguridad Nacional (HSI) Atlanta, HSI Harlingen, Texas y el Agregado Matamoros, México, coordinó los arrestos de Allison Colone, de 30 años, y Oswaldo García, de 26 años.

En este mismo procedimiento también fue capturado un hombre llamado Tony Vega, de 25 años. Este fue localizado junto con Oswaldo García, y en un principio se desconocía su identidad. Se trató de un sospechoso identificado previamente a través de fotos publicadas en comunicados de prensa. Dichas fotos surgieron como evidencia después de revisar las cámaras de seguridad aledañas a la cabaña donde fueron hallados los restos de Rossana Delgado.

Posteriormente, el GBI consiguió una orden de arresto contra Vega por el asesinato de Rossana Delgado, ubicándose como el quinto sospechoso oficial de la investigación que estuvo presuntamente vinculado en el acto de asesinato y desmembramiento.

Capítulo VIII

José Ayala

El 26 de junio de 2021 José Ayala, de 35 años, fue arrestado en un trabajo en conjunto por la Policía Investigadora de Delitos de Durango y la Fiscalía General del Estado.

Ayala fue capturado en el sector 5 de Febrero, a unas 1726 millas de donde las autoridades dicen que hallaron desmembrada y quemada a Rossana Delgado el 20 de abril.

El 3 de julio de 2021 el Buró de Investigaciones de Georgia anunció el procedimiento que dio con la captura de Ayala. La Oficina de Investigación de Georgia, en colaboración con el Servicio de Alguaciles de los Estados Unidos (USMS) Atlanta y San Diego, coordinó la transferencia a la custodia estadounidense de José Ayala, de 35 años.

Ayala fue arrestado en Durango, México, el sábado 26 de junio de 2021. El USMS-San Diego y la Oficina de Aduanas y Protección Fronteriza supervisaron la transferencia de Ayala a la custodia del USMS y su posterior detención en una instalación de California.

Por supuesto que estos no fueron todos los responsables de la muerte de Rossana Delgado. Se trataba de un plan muy bien articulado y con muchos involucrados, a la espera de que en alguno de estos puntos tal vez se perdiera de vista el terrible acto que habían realizado.

Sin embargo, hoy todos estos acusados enfrentan cargos relacionados con su participación directa o indirecta en el secuestro y asesinato de Rossana Delgado, ya que fue evidente que cada uno de los ellos formaba parte clave para intentar encubrir el macabro hecho.

Capítulo VIII

Y se podría pensar que esta era toda la historia, el asesinato fue consumado, el cuerpo fue encontrado y los culpables encarcelados. Sin embargo, todavía quedaban muchos cabos por destejer que me ayudarían a dar finalmente con una versión coherente con lo que fui descubriendo de Rossana a medida que se desentramaba el origen criminal, profundo y nauseabundo que rondaba la sangrienta muerte de una mujer, esposa y madre trabajadora.

Capítulo VIII

CAPÍTULO IX

EL SECRETO TRAS LOS MOTIVOS
DEL ASESINATO

*«La verdad se corrompe tanto
con la mentira como con el silencio».*

Cicerón

Durante toda la investigación y captura de los culpables del asesinato hubo una pregunta permanente entre todos aquellos que mirábamos horrorizados cómo podía ser que un grupo de personas se organizaran para asesinar a una mujer. Mientras algunos le dieron crédito al video anónimo en YouTube y decidieron que Rossana debía ser una narcotraficante que mereciera de alguna manera el castigo que la vida le preparó, otros estábamos menos conformes con esta explicación tan ajena a todo lo que vimos y vivimos durante su búsqueda, la muerte de Rossana y lo que sufrieron sus familiares.

No había razones lógicas para pensar que Rossana era una líder criminal, ni en su patrimonio ni en su comportamiento diario. Durante su jornada laboral como taxista conoció a mucha gente, algunos de ellos se convirtieron en una especie de familia prestada, ella conocía sus vidas sin haber proferido una sola pregunta y, sin querer, formaba parte de sus rutinas mientras les trasladaba de aquí para allá, cargando en su taxi toda clase de historias, alegrías, decepciones, fracasos, sustos y tanto más.

Ya sabemos lo que dicen, que un taxista es una especie de sacerdote que escucha los pecados, y el carro como un confesionario ambulante que guarda los más profundos secretos de cualquiera que sienta la confianza suficiente para hablar de sí mismo mientras llega a su destino. Durante esos cortos o largos trayectos, quienes abordaban el taxi de Rossana descargaban en ella una pesada carga que se depositaba en el taxi, aunque fuese por unos minutos, mientras durara la carrera[2].

Entonces, Rossana tenía uno de esos caracteres jocosos, cercanos y amistosos que en muchas partes del mundo caracterizan a los venezolanos, pero que ahora no puedo evitar pensar que tal vez era más frecuente en ella. Sus parientes decían que «ella era demasiado confiada», y tal vez esa confianza que depositaba en otras personas que no la merecían fue lo que la llevó a una muerte tan temprana y tan terrible.

Otra descripción que escuché con frecuencia entre las personas que la conocían fue que Rossana era «muy alegre, muy confianzuda, es decir, te agarraba confianza muy rápido y también ayudaba a mucha gente en Venezuela». Y esto precisamente la hacía muy sociable, pero no son características que necesariamente hacían de ella un perfil de delincuente o narcotraficante. De hecho, las personas que pudieron tratar con ella durante su vida expresaban justo lo contrario: era una mujer muy correcta y digna de confianza, al punto que corregía fuertemente a sus hijos para que siguieran por las sendas del bien.

Capítulo IX

2 Venezolanismo que indica servicio de transporte que un taxi realiza para un cliente.

Es así como sus familiares cercanos llegaron a la conclusión de que la gente que solicitaba los servicios como taxista a Rossana recurrentemente se aprovecharon de su vulnerabilidad, además de lo buena gente que era. Hoy por hoy, después de tanto tiempo, puedo afirmar sin miedo a equivocarme que esas mismas personas en quienes Rossana confió y creyó que eran cercanos, fueron las que la traicionaron, las que no tenían buenos procederes y que se relacionaron con ella para continuar con sus negocios sacando de su trabajo algún provecho.

Algunos de esos «clientes fijos» le pedían a Rossana llevar a una persona a entregar paquetes a cambio de recibir una tarifa mayor a la que regularmente recibía. Al principio ella no vio ningún problema en ese tipo de trabajos, porque desconocía que contenían esos paquetes y porque ella solo estaba cumpliendo con su trabajo de traslado. Sin embargo, la situación comenzó a hacerse sospechosa a medida que seguían contactándola, ya que era un taxi de bajo perfil, conducido por una mujer amable y jocosa que ni siquiera sabía lo que trasladaba.

Posteriormente, en varias oportunidades ella se rehusó a realizar esas encomiendas, pero cada vez más el pago era mayor, lo que la hizo dudar de que las encomiendas fueran lícitas, aunque confiaba tanto en sus clientes que jamás se le ocurrió pensar que ellos la involucrarían en algún delito. Y así transcurrieron por lo menos los últimos tres meses antes de su mortal desenlace.

Capítulo IX

No obstante, poco tiempo antes de eso, mientras aún transportaba personas con paquetes en metro Atlanta, fue abordada por unos funcionarios policiales que estaban interesados en los «clientes fijos» de Rossana. Secretamente, se trataba de unos agentes de la DEA, ella desconocía que esos funcionarios pertenecían a la Agencia de Control de Drogas, creyó que simplemente eran unos policías que estaban en proceso de investigación, mientras corría una operación para conocer los movimientos de los integrantes de una organización criminal de microtráfico de drogas.

Agente de la DEA Thomas Charles

Me mantuve a la expectativa sobre esta hermosa mujer de cabello rubio y ojos penetrantes. La miré ponerse cada vez más nerviosa mientras la llevábamos a una de nuestras oficinas luego de presentarnos como agentes de la DEA que necesitábamos información sobre los actos ilegales que había estado llevando a cabo.

Sin embargo, las investigaciones ya habían avanzado y parecía ser que, tal como el resto de los taxistas de la zona, Delgado no sabía nada sobre el crimen que estaban cometiendo, y simplemente estaban recibiendo el dinero por un servicio prestado.

¿Quién iba a creer que no sospechaban que se trataba de algún delito? Era muy obvio que les pagaban más de la cuenta por prestar el servicio, pero también era obvio que esta mujer estaba muy asustada por ser deportada y relacionada con un crimen serio. La verdad es que no parecía culpable,

y aprovecharíamos eso para saber más sobre el delito en cuestión.

—Ya sabe por qué estamos aquí —le dijo mi compañero cuando finalmente entramos a la oficina para interrogarla. Delgado cruzó sus manos con nerviosismo y negó moviendo la cabeza de lado a lado. Sus ojos me miraron con intensidad a pesar de que era mi compañero el que hablaba.

—Sabemos que entrega paquetes por toda la zona metropolitana de la ciudad, acompañada de unos tipos que están relacionados con el narcotráfico —ella casi saltó de la silla y negó cuando las manos comenzaban a temblar.

—Debe haber una especie de error. Yo simplemente estaba haciendo mi trabajo —replicó tartamudeando en un inglés accidentado.

—No hay ningún error, tenemos pruebas —replicó mi compañero mostrándole una carpeta que, por supuesto, no tenía pruebas. Pero cumplió con su cometido de ponerla más nerviosa—. Lo que usted hace es un delito penado por la ley. Usted es cómplice de narcotráfico.

—No, yo no… Yo no sabía nada, solo estaba haciendo mi trabajo —mi compañero soltó una risita y la miró de forma retadora.

—Me va a decir que no sospechó nada porque le pagaran seis veces el valor de la tarifa por entregar una encomienda —se burló, pero nadie más rio en la sala.

—No sé de qué está hablando —aseguró cuando yo me senté frente a ella y puse mis manos cerca de las suyas. Era hora de ser el policía bueno.

Capítulo IX

—No se preocupe, podemos ayudarla —le dije—. Lamentablemente, desconocer los hechos no la exime del cumplimiento de la ley, pero si nos ayuda, nosotros podemos ayudarla a usted —sin embargo, algo en ella parecía renuente. Quitó sus manos de la mesa y se retrajo. Mi compañero intervino.

—La pena por ser cómplice de narcotráfico no es inferior a ocho años, y ni hablar de su estatus de inmigrante y el de su familia... —pero antes de que pudiera terminar la frase, Delgado intervino.

—¿Qué es lo que quiere saber? —me preguntó directamente y yo respiré profundo antes de decirle exactamente lo que tenía que saber y lo que queríamos que hiciera.

La intervención de la DEA

De acuerdo con los agentes, ellos le explicaron a Rossana que las encomiendas que realizaba constantemente eran paquetes de drogas y que tenían un monitoreo exhaustivo sobre cada uno de los movimientos que había estado realizando en compañía de esos a quienes ella conocía como clientes fijos que pagaban un poco más de la cuenta.

Es entonces cuando los agentes de la DEA le piden ayuda a Rossana para determinar los movimientos de estas personas, desarticular la organización y atrapar a los responsables del tráfico de drogas que se estaba llevando a cabo. En un principio le solicitaron toda la información que ella pudiera conseguir, a lo cual ella accedió sin pensarlo demasiado. Lo que Rossana no sabía era que estaba ofreciendo información de personas que estaban ligadas a una de las cinco organizaciones criminales trasnacionales más peligrosas del mundo, según el Departamento de Justicia de los Estados Unidos.

Sin embargo, la inocencia de Rossana con respecto a este tema fue muy llamativa, porque hasta el momento ella nunca se imaginó que la historia que le contaban los agentes sobre sus clientes fijos fuese algo más que un malentendido. En otras palabras, Rossana nunca estuvo consciente del peligro que corría; su confianza en su entorno, en las personas con las que se desenvolvía diariamente y que le pagaban por su servicio de traslado, la hacían sentir segura. Incluso, es probable que en un momento de desahogo le hubiese contado a alguno de sus verdugos el encuentro que tuvo con la ley, y eso habría desencadenado toda esta serie de eventos desafortunados.

Ahora se sabe con certeza que Allison Colone era parte de ese entorno del mundo de los conductores de taxi, y prácticamente fue ella quien orquestó toda la logística para secuestrar y asesinar a Rossana. Además, incluso en los videos de seguridad del Ross parecía haber una gran confianza entre ella y Carol Rodríguez, que era la mujer a quien acompañaba a hacer compras aparentemente inofensivas. Sin embargo, estudiando fragmentos del video, se veía a Rossana cruzar las manos en señal de incomodidad, como muchos de sus allegados destacaron al verla conducirse con esa persona que incluso las autoridades parecieron señalar que era de confianza para ella.

Capítulo IX

Y fue precisamente eso, la confianza que tuvo en sus clientes, en los que quizás ya no confiaba tanto después de reunirse con la ley. Fueron ellos, los clientes fijos de Rossana que trasladaban paquetes ilícitos y que la llevaron a esa última carrera sin retorno.

Tal parece que se trataba de una práctica frecuente entre los narcotraficantes, simplemente tomar un taxi y viajar por la ciudad entregando paquetes de drogas. Lo peor era que muchos taxistas, al igual que Rossana, aceptaron las condiciones por su propia vulnerabilidad económica, y porque, a pesar de sentir la suspicacia de alcanzarlos y advertirles que quizás el dinero que estaban ganando era demasiado fácil para ser lícito, continuaron con sus carreras costosas hasta el día del secuestro de Rossana.

Luego de que la noticia del asesinato de Rossana se esparció como pólvora en los medios, muchos taxistas entraron en una especie de pánico colectivo. Entre ellos murmuraban que mientras trabajaban haciendo entregas les ofrecían cada vez más y más dinero para continuar con las entregas de encomiendas a través de ciertos clientes fijos. Incluso algunos de los taxistas decidieron no seguir, pero quienes solicitaban del servicio eran cada vez más insistentes, a tal punto que algunos taxistas tuvieron que cambiar sus números de teléfono para evitar seguir en contacto con estos clientes cuya fama ya no parecía favorecerlos para llevar a cabo dichas entregas.

El día que secuestraron a Rossana, horas antes de encontrarse con sus verdugos, ella ya había dado por terminada su jornada laboral del día y estaba en casa temprano, como de costumbre. Entonces, repentinamente recibe una llamada de uno de sus clientes fijos para hacer un servicio, llevar a una chica de compras, ya que la chica acababa de llegar a Georgia y no conocía la zona. Entre sus pendientes también incluía ayudarla a comprar víveres y llevarla de vuelta a casa. La llamada fue inesperada, tanto que ella dejó en su casa unos anillos y los zarcillos que se quitó cuando llegó de trabajar. Este detalle fue apuntado por uno de sus familiares cercanos, que Rossana no salía sin sus prendas y ese día simplemente salió muy rápido de casa para cumplir con su carrera y regresar lo antes posible.

Capítulo IX

CAPÍTULO X

LA VOZ DE

LOS TESTIGOS

«La verdad es lo que es, y sigue siendo verdad
aunque se piense al revés».

Antonio Machado

No me creerían ninguna de las cosas que les estoy contando en este libro si las narrara solo desde mi propia perspectiva, porque en esos días en que Rossana estuvo secuestrada y fue asesinada sucedieron muchas cosas, muchas personas sufrieron y todavía queda demasiado por contar, por lo que podría quedarme corto si lo narrara solamente desde mis propias palabras.

Jineska Pacheco, hermana de Rossana

Supimos que Rossana no aparecía desde el sábado, y Yhonny estaba buscando arduamente, intentando encontrar cámaras que la posicionaran en algún lugar, testigos o cualquier cosa que lo ayudara. Fue entonces cuando tuvo la idea de utilizar una aplicación móvil de geolocalización que tenía en el teléfono de la Cocó», porque así nos decíamos las tres, «las hermanas Cocó». Sin embargo, no recordaba la clave y eso nos quitó muchísimo tiempo.

Yhonny estuvo intentando con todas las claves que podía recordar hasta que encontró la que nos dio acceso a todos los movimientos de Rossana, entre ellas estaban las dos últimas ubicaciones de la Cocó y decidimos ir allí el lunes por la mañana para buscar por nosotros mismos.

El teléfono de la Cocó solo estuvo en su penúltima ubicación entre 20 y 30 minutos, así que tal vez solo había sido una parada, pero de todas maneras iríamos a investigar, seguramente alguien podría decirnos si la vio en ese lugar.

Sin embargo, antes de salir de casa me topé con el rostro palidecido de mi prima, que sostenía el teléfono con ambas manos y me instaba a responder.

—¿Qué pasa? —pregunté extrañada.

—Es sobre Rossana. Dice que es una psíquica de México, que quiere hablar contigo —dice con la voz baja, y un sobresalto se instala en mi pecho al tiempo que la incredulidad me hace soltar una media carcajada.

—¿Y conmigo por qué?

—Dice que es a ti a quien Rossana está unida por sangre —proferí otra carcajada incrédula y negué con la cabeza mientras tomaba el teléfono.

No recuerdo el nombre de la mujer, solo sus palabras claras y su voz firme de advertencia.

—Búscala muy bien en una casa donde hay un contenedor de basura atrás —me dijo—. Es una casa pequeña, hay cuatro niños afuera, una de ellas está descalza y sin ropa, y los patios son largos en la casa —hizo una pausa muy larga y finalmente añadió—. Ella está viva, pero malherida. Deben ir antes de que sea tarde.

Lo puedo admitir, no creí demasiado en las palabras de la supuesta psíquica, porque esas cosas no suceden en la vida real, ¿o sí? Mi hermana tenía que estar bien, tenía que volver a casa y no podía depender de mí salvarla, ¿verdad? Era demasiado peso para cargar.

Después de trancar la llamada continué con mi plan de ir a la penúltima ubicación en la que había estado el teléfono de Rossa, y eso hicimos. Me fui con Yhonny, una prima y un amigo hasta una dirección en Panola Road, donde los tejados de las casas comenzaron a dibujarse dándome una imagen vívida y en colores de lo que la psíquica había descrito.

Vi a una mujer joven, delgada, de cabello oscuro semilargo y con tatuajes en los brazos en el patio, acompañada de cuatro niños que no parecían ser sus hijos. Detrás de la casa vi un gran contenedor de basura y estaba ubicada entre dos largos patios, tal y como la psíquica fue enfática al decir. Entonces mi hermana estaba allí, porque ¿qué otra razón habría para que me diera una descripción tan exacta de una casa como la que estaba viendo justo ahora? Esta, definitivamente, debía ser la casa a la que tenía que llegar antes de que fuera demasiado tarde.

Fue inevitable sentir la adrenalina dispararse por mis poros al ver a esa mujer justo fuera de la casa donde sentía en mi ser que estaba mi hermana, así que inmediatamente salí corriendo por la grama del patio de las casas, crucé a través del jardín de una de ellas y agarré a aquella mujer por los hombros con mucha fuerza y la obligué a mirarme a los ojos.

—¿Dónde está mi hermana? —le dije, pero tras mis palabras había una acusación implícita. Ella se sacudió y me obligó a soltarla de casi de forma inmediata.

Capítulo X

—No sé de qué estás hablando —me dijo en un tono muy gringo; estaba nerviosa, desorbitada, como si yo la hubiese sacado de sus pensamientos a su propio infierno personal.

—Yo sé que tú sabes dónde está mi hermana —insistí sabiendo que ella podía darme las respuestas que necesitaba—. Si la tienes ahí dentro, sácala ahora mismo —intenté ordenarle, pero sé que también sonó como una súplica.

—No entiendo de qué hablas —me dijo cuando volví a agarrarla con fuerza, y fue cuando pude divisar con mi vista periférica que en el jardín estaban también cuatro niños—. Dentro de la casa hay un mexicano, él puede salir a hablar contigo.

Y se zafó de mí, marchándose con tanta urgencia que dejó a una niña en el patio, aunque los otros niños se fueron persiguiéndola. La niña, de un año y medio, simplemente nos miraba como si debiera acompañarnos. Tenía solo un pañal puesto y estaba descalza, con un aspecto muy pobre y la mirada perdida en nosotros. Allí esperó esa niña, como quince o veinte minutos, hasta que finalmente la mujer salió, la tomó del brazo y la metió despavorida a la casa. Hasta ese punto creo que esa mujer tenía tanto miedo que no se percató que había dejado a la pequeña afuera.

Por otra parte, sé que alguien nos vigilaba desde dentro y no era ella, parecía ese mexicano al que tanto hacía referencia, pero que nunca salió. Yo sentía las miradas que salían de esos vitrales, pero nunca lo vi, solo sentí la angustia

*que emanaba de ellos por nuestra presencia. De hecho, creo
que pensarían que les habíamos arruinado los planes.*

*Mientas estábamos ahí, de pronto escuchamos una especie
de golpe seco, como de una pistola de clavos golpeando una
madera, lo que llamó nuestra atención, y como una pequeña
algarabía dentro de la casa.*

*Ya habíamos llamado a la policía y los ruidos duraron el
tiempo suficiente para mantenernos inquietos a ambos.*

*—Ahí dentro está pasando algo —le dije a Yhonny sin
miedo a equivocarme, y lo repetí una y otra vez mientras el
desespero me alcanzaba y me hacía temblar de impotencia.*

*Quién sabe, quizás fuera mi hermana tratando de
escaparse al escucharnos, y ellos como bestias intentaron
silenciarla.*

Capítulo X

Nota del autor

Los documentos judiciales confirman que, efectivamente, Rossana estuvo en esa casa, que se encontraba registra-
da como vivienda principal de Allison Colone, quien fue la
mujer a la que Jineska abordó al llegar a Panola Road. No
obstante, desconocen cuanto tiempo pasó en ese sitio antes
de ser trasladada a otro lugar, o si las horas en las que su
hermana y esposo estuvieron ahí realmente coincidieron con
su estadía.

Tampoco se registró la confirmación de la presencia
de otras personas en la casa. De hecho, no se conocen los
registros policiales sobre la visita a la casa de Allison Colone,

lo cual no quiere decir que no existan, sino que simplemente podrían estar reservados por ser parte del proceso judicial.

Es este punto al que hace referencia Yhonny durante la misa, donde reflexionó:

—Me sentí culpable. Me sentí culpable porque yo llegué a esa casa, y no sé si porque el policía no me hizo caso o porque yo no hice lo suficiente, no pudimos salvarla —se recriminó con frustración—. Ese día tal vez yo llegué a esa casa y cometí un error. Tal vez fue por eso que esa gente le hizo daño a mi esposa.

Yhonny Castro, esposo de Rossana

Los minutos se hacían interminables y los ruidos extraños seguían viniendo de la casa, hasta que de repente cesaron. La mujer a quien Jineska abordó no volvió a aparecer, ni tampoco salió el hombre mexicano que había dicho que vendría a hablarnos.

La impotencia me inundaba cuando me acerqué firmemente a Jineska y los demás para tomar una decisión.

—Vamos a llamar a la policía —anuncié.

—Tenemos que vigilar que no la saquen mientras la policía llega —advirtió la prima de Rossy, y yo le di crédito a sus palabras.

—Vamos a rodear la casa tanto como sea posible —propuse mientras tomaba el teléfono para llamar a la policía y los demás tomaban las posiciones que indiqué. Así sabríamos claramente si esas personas tenían a Rossy y trataban de sacarla.

Durante toda una hora, intensa e interminable, esperamos a la policía. Yo caminaba de lado a lado frente a la casa, en la acera de un vecino que vio mi intranquilidad y salió de casa para hablarme.

—Señor, ¿qué sucede? ¿Está buscando algo? —me preguntó un señor latino también, de baja estatura y con mirada firme.

—Mi esposa está desaparecida, y quisiera saber si alguien aquí la ha visto pasar—admití mientras sacaba mi teléfono y buscaba las fotografías.

—No la he visto —dijo sin dudar cuando le enseñé las fotos de Rossy, pero cuando le enseñé la foto del carro frunció el ceño y asintió—. Sí, ese carro estuvo parado en esa casa hasta el sábado —se me disparó la adrenalina y levanté la mirada para ver al señor con la misma firmeza.

—¿Está usted seguro?

—Totalmente, el color de ese carro es muy llamativo — recordó y yo tragué grueso antes de decir lo siguiente.

—¿Estaría dispuesto a testificar eso frente a las autoridades? —de nuevo el señor asintió sin dudar.

—Por supuesto —dijo, y entonces añadió algo que encendió todavía más las alarmas en mi mente—. En esa casa suceden muchas cosas extrañas.

El coche de la policía entrando por la avenida interrumpió nuestra charla, así que yo me uní rápidamente a mis compañeros de búsqueda y abordamos al agente antes de que llegara a la casa.

Capítulo X

Le explicamos rápidamente al agente la situación, y él asintió mientras miraba la evidencia de lo que yo le indicaba, la ubicación en mi teléfono, y las fotos, mientras yo mencionaba hábilmente lo que me había dicho el vecino.

Un par de minutos después, aquella mujer salió de la casa y le pidió acercarse para hablar. El agente fue tras ella, se pararon a poca distancia de la puerta de la casa y nosotros nos quedamos esperando con una sensación general de victoria: ya que estaba ahí, seguramente requisaría el lugar y sacaría a mi esposa sana y salva.

No sé qué le habrá dicho aquella mujer para convencer al oficial, teníamos las pruebas contundentes de que Rossana había estado en esa casa y hasta el mismo vecino podía testificar que el carro rojo estuvo ahí.

Pasaron unos minutos y la decepción me golpeó como una roca en el pecho cuando el oficial de policía del condado DeKalb se acercó con gesto serio, incluso molesto, y nos pidió que abandonáramos el lugar.

No quiso mediar palabras con nosotros, no quería discutir, simplemente dijo con seriedad las siguientes palabras:

—Los civiles no están autorizados para hacer investigaciones por cuenta propia. Si continúan haciendo esto y molestando a esta gente pueden presentar cargos contra ustedes, e incluso podrían ir a prisión.

Muchos me cuestionarán por qué no nos quedamos fuera de la casa vigilando, pero realmente era imposible porque la vivienda estaba ubicada justo frente a una concurrida carretera y no podíamos simplemente quedarnos ahí parados esperando.

Sin nada más que hacer, decidimos regresar a casa y llamar a un periodista que nos había dejado su número para hacernos una entrevista y hablar de Rossana. Quizás esa fuera la mejor solución para encontrarla, hacer la noticia más conocida y que más personas nos ayudaran en esta búsqueda sin fin.

Pero continuaban pasando las horas y yo sin poder dormir, comer o pensar en otra cosa que no fuera en mi esposa, que estaba en peligro y que debía rescatar, que llegaría a casa sana y salva, pronto, y que quizás yo no estaba haciendo lo suficiente por encontrarla.

A la mañana siguiente, muy temprano, Jineska y yo decidimos ir a la última ubicación de Rossy. Y juro que el alma se me fue a los pies cuando vi un lote de contenedores de los que se usan para almacenar todo tipo de cosas.

Era un sitio oscuro, muy grande y no sabíamos dónde buscar. Había demasiadas puertas, y mientras caminábamos Jineska se tropezó con un cubrebocas lleno de sangre que nos hizo desesperar todavía más.

Rodeamos el lugar una y otra vez buscando algún ruido. Grité el nombre de mi Rossana a todo pulmón, para que no hubiese ni un solo lugar en todo ese terreno en el que no se oyera mi voz, y así, si ella estaba ahí pudiera saber que yo había venido a rescatarla, que podía hacer un ruido, que podía ayudarme y yo la sacaría de ahí lo antes posible.

Capítulo X

125

Llamamos a Rossana a gritos y golpeamos cada uno de los depósitos con tanta fuerza como pudimos para que nos respondiera si estaba dentro.

Y tras unas intensas horas de búsqueda, no escuchamos, ni vimos, ni encontramos nada más que el silencio típico de una zona como esta. Un espacio baldío, vacío y horrible que comenzaba a llevarse poco a poco mis esperanzas.

En el camino de regreso a casa, Jineska sugirió que fuésemos de nuevo a la penúltima ubicación de Rossy, para ver si esta vez corríamos con mejor suerte. Pero al llegar ahí la respuesta no fue mucho mejor que la del lote de contenedores.

Transitamos de lado a lado tratando de hallar algo más, pero esa casa parecía vacante, desierta y en construcción, como si nadie nunca hubiese estado allí. Recorrimos los pasillos y nos asomamos por las ventanas. Pero no había nada que pudiéramos ver, los cristales estaban cubiertos y la casa parecía haber sido totalmente abandonada.

Volvimos a llamar a la policía para que entraran a inspeccionar, pero solo recibimos a un agente que la revisó por fuera tal y como nosotros lo habíamos hecho. Al terminar la inspección, se paró frente a nosotros y desaprobó.

—No puedo entrar a esta casa sin una orden o amenaza de peligro —aclaró primero—. La verdad no parece haber nada extraño, así que tengo que pedirles que abandonen la propiedad.

—Pero el teléfono de mi esposa… —intenté replicar antes de que me interrumpiera abruptamente.

Capítulo X

—*Señor, recibimos una denuncia por invasión de la propiedad el día de ayer, si insiste en esto tendremos que arrestarlos* —*la amenaza me hizo silenciar de inmediato*—. *¿Ya usted presentó una denuncia por la desaparición de su esposa?*

Y con el eco de sus palabras se volvieron a cerrar nuevamente mis esperanzas.

Sí, había hecho la denuncia, pero no había recibido una respuesta, ni tampoco ayuda, por lo que parecía ser que estábamos solos en esto.

Jineska Pacheco, hermana de Rossana

Ese martes estaba sentada en mi casa con una sensación irreal que me taladraba el cerebro, con la idea de que nada de esto podría ser verdad. Que nada de esto estaba sucediendo, que Rossana entraría con alguna broma en sus labios alegrando esta casa en la que todos parecíamos perdidos sin ella.

Vi la noticia en los medios, en la televisión local, y me sentía un poco asqueada de las redes sociales porque no había ni una sola en la que la foto de Rossa no estuviera. También decidí dejar el WhatsApp por unos breves minutos porque necesitaba dejar de recordar que no podíamos encontrarla y no había nada más que pudiéramos hacer.

Sin embargo, el silencio generalizado de la casa fue interrumpido por una llamada de Jeimi, la investigadora del Buró de Investigaciones de Georgia, en la que le dijo a Yhonny que necesitaban que nos presentáramos en sus oficinas lo antes posible, añadiendo que se trataba de Rossana.

Capítulo X

El corazón se me iba a salir mientras íbamos camino al sitio mientras yo seguía rezando para mis adentros para que nos dijeran que tenían una pista del secuestro y nos dieran esperanzas de encontrar a Rossa con vida.

Esperamos un par de minutos en la oficina de reuniones cuando dos oficiales aparecieron.

—Todavía no tenemos nada en concreto sobre el paradero de la desaparecida —advirtieron, dejando en claro que esta no era una visita de reencuentro. Respiré profundo mientras intentaba mantener mis oídos abiertos para cooperar con la investigación—. Necesitamos que identifiquen a estos sospechosos —añadió el oficial presentando una tableta frente a nosotros. Estábamos presentes Yhonny, una de mis primas, y dos amigos que se comprometieron con ayudarnos en la búsqueda el día anterior.

Al verlos, pude reconocer a los hombres de las fotos que habían circulado hacía unos minutos por las redes, solicitando orden de captura para estas personas. Entre ellas estaba la foto de esa mujer, a la que abordé en la casa de Panola Road, cuyo nombre, según las autoridades era Allison Colone.

Entre todas las fotos que nos mostraron, solamente pude reconocer de primera vista a esa mujer, y les indiqué rápidamente a los oficiales que era ella quien estaba en la casa de Panola Road, de la que nos habían sacado dos veces durante las últimas veinticuatro horas.

Después, entró otro oficial con una lista llena de números telefónicos y nos pidieron que llamáramos a cada uno

Capítulo X

de los números. Una por una, hicimos las llamadas sin recibir respuesta alguna. No sé de dónde la policía pudo haber sacado esa lista, pero sabía que estaban tratando de descartar que nosotros, los miembros de la familia de Rossana, estuviésemos implicados con estas personas o en la desaparición de ella.

Cada uno de los números tenía un apodo especial. Recuerdo uno que llamó especialmente mi atención. En la lista decía que se llamaba alias el Cubano. Desde entonces supe que esto se trataba de un problema de índole mayor, que había alguna clase de banda trabajando en esto y que mi hermana lamentablemente había caído en sus manos.

Al terminar la reunión, los agentes del GBI nos indicaron que debían ir a casa de Yhonny y Rossana para recabar algunas pruebas de ADN en caso de que la encontraran, así que fuimos con ellos directamente hacia la casa, donde comenzaron a buscar sus pertenencias de manera inquisitiva.

Uno de los agentes miraba todo y requisaba de forma un poco más brusca que los demás. Su forma de buscar y de mirar me hizo sentir enojo, porque no parecía que solo buscaran ADN, sino que pretendían encontrar alguna prueba de que Rossa estaba envuelta en algún crimen con esos matones.

—Llévense todo lo que quieran, en esta casa no hay nada oculto —le dije sin reservas al ver cómo miraba el tocador de Rossana.

—¿Podría preguntar dónde guardan dinero en la casa? —inquirió el oficial de policía mientras seguía buscando.

Capítulo X

—Todo el dinero que tenemos, usualmente está en nuestros bolsillos —replicó Yhonny extrañado. Entonces se sacó la billetera donde no había más que un par de dólares.

—Y entonces, ¿de dónde obtuvo Rossana el dinero para pagar la compra en el Ross? —nos preguntó y yo me adelanté.

—Lo pagó con su tarjeta de crédito —dije con irritación—. Ustedes son policías, ¿no pueden confirmar la transacción?

Ellos podían hacerlo, y yo lo sabía. Lo que vimos en las cámaras había sido muy claro, ella pagó con tarjeta.

Sin embargo, los policías parecían querer encontrar algo más, así que siguieron revisando sin hallar nada. ¿Dónde estaba el dinero, entonces? Si la policía pensaba que Rossa estaba envuelta en un delito, o con una banda criminal peligrosa que le pagaba por trasladarlos, ¿dónde estaban las cuantiosas sumas de efectivo? Mi hermana no tenía nada, la situación económica del país era feroz con nosotros. La incertidumbre de la pandemia a nivel mundial y nuestra condición de extranjeros no nos daban para permitirnos nada ostentoso; si mi hermana hubiese tenido un nexo criminal no vivirían en una situación tan limitada. De hecho, Rossana pagó la operación de sus senos con las tarjetas de crédito, ahí pudieron revisar que ella no tenía el dinero que sospechaban que tenía.

La visita de los investigadores, más que reconfortante, me pareció que buscaban algo que la involucrara con esa banda. Ella era la víctima, no la victimaria.

Después de ese desalentador encuentro, participamos en una vigilia que organizaron los taxistas. En ese evento

Capítulo X

repartimos muchos volantes, hablamos con muchas personas, y fue bonito ver la preocupación de toda esa gente, que sin conocernos nos brindaron todo su apoyo, aunque las respuestas sobre el paradero de Rossana eran cada vez más escasas, y cada vez nos hacíamos más preguntas.

El miércoles en la noche los taxistas nos informaron que planeaban otra vigilia para el viernes, y nosotros la asumimos. Haríamos todas las vigilias que fuesen necesarias hasta que Rossa apareciera sana y salva. Sin embargo, recibimos otra llamada del GBI, en la que los agentes nos pedían nuevamente que fuéramos a sus oficinas.

Algo en esta llamada era diferente. Yhonny trancó el teléfono y me tomó del brazo para apartarme de entre la gente.

—Vamos otra vez al GBI —me dijo con voz baja—, parece que encontraron a Rossana.

—¿Qué? ¿Te dijeron eso? —me sobresalté, pero él me hizo una señal de que bajara la voz, aunque yo no sentía que hablábamos tan fuerte. Yhonny empezó a hacerle señas a su hijo y a los demás para que se acercaran, debíamos irnos.

—No, no lo dijeron. Solo que fuéramos para allá rápido.

—¿Y por qué crees entonces...? —dejé la pregunta en el aire.

—No sé, esta llamada es diferente. Seguro es eso.

Y con esa nueva esperanza, nos trasladamos lo más rápido que pudimos a las oficinas de la policía.

Sin embargo, la felicidad no duró mucho. Tan pronto vimos los rostros serios de la policía, supimos que esto no *podía ser bueno, había cualquier cantidad de agentes, desde el de mayor cargo hasta el asistente.*

Nos condujeron hasta la oficina del jefe de la operación y allí nos hicieron esperar unos minutos mientras entraba el jefe y otros dos agentes de policía con el rostro muy serio.

—Seré breve —empezó el jefe de la operación—. Encontramos a Rossana.

La sala enmudeció, pero las preguntas se agolparon en mi garganta casi tan rápido como habló. Tenía que saber primero lo más importante de todo:

—¿Cómo está?

—La encontramos muerta —respondió en tono firme.

Sentí que el alma se me bajaba a los pies. Sentí como un balde de agua con hielo me cayó encima, por un instante quedé en blanco, sin palabras, sin poder respirar, mientras que desde lo más profundo quería gritar, desahogarme, reprochar al destino el trágico final para mi hermana.

No podría describir esos instantes en nuestra vida. Yhonny empezó a llorar, se levantó de la silla y perdió el control. Lloraba muy fuerte y negaba una y otra vez deseando que nada de esto fuera real.

Mi sobrino, el hijo de Cocó, se quedó en shock mirando a su papá perder el control. No parecía creerlo, temblaba y tenía los ojos muy abiertos, como si hubiesen arrancado de él un gran pedazo de su alma.

Yo no pude evitar recordar toda mi vida junto a Rossa. Cuando estábamos pequeñas, nuestra infancia, nuestras locuras en Venezuela, nuestra travesía a Miami; la primera

Capítulo X

132

vez que Rossa llegó a Estados Unidos y la abracé con tanta fuerza, sintiendo una parte de mi casa, de mi familia, de mi mamá.

¿Por qué no había pensado yo en aprovechar mejor el tiempo con ella? Amaba tanto a Rossa, a mi hermana. Era una parte de mi alma y no pude evitar sentirme destrozada por aquella noticia. ¿Ahora qué podríamos hacer nosotros? Quedamos con el corazón incompleto, con el alma rota en pedacitos. Nos arrancaron un trozo de vida y nadie podría regresarnos esa alegría que ahora extrañaríamos por siempre.

Después de reconocerla y de todos los trámites que siguieron a eso, nos regresamos a casa de Rossana y nos encerramos en su cuarto a llorarla y extrañarla como solo nosotros podríamos hacerlo.

Me quedé en casa de Rossana por más de dos semanas después de eso, porque quería estar lo más cerca de ella que pudiera, deseando que hubiese podido verla y decirle alguna cosa una vez más. Que la amaba, que la extrañaría, que fue la mejor hermana que pudo ser.

Capítulo X

Nota del autor

En la conversación que tuve con Jineska, que se prolongó por más de una hora, me dio a conocer otros detalles del caso. Uno que especialmente llamó mi atención fue que dijo que el GBI tiene videos de cuando ingresaron a Rossana a la cabaña en Cherry Log en el condado de Gilmer.

Según sus palabras precisas, la investigadora parecía muy segura de que a Rossana la llevaban cargada hacia el interior de la cabaña donde la encontraron, pero que no podían determinar si estaba viva, o si ya la habían asesinado.

También añadió que ellos reconocieron el cadáver de Rossana, a pesar de que los investigadores les sugirieron no hacerlo.

Y es que, ¿quién puede contar mejor esta historia que ellos, que la vivieron desde un punto de vista tan diferente al mío? Al final, sus voces son las que piden justicia por un crimen tan terrible que no tengo palabras para expresarlo. Su dolor y sus corazones rotos son los que hoy me impulsan a escribir esta crónica.

Capítulo X

REGALO PARA EL LECTOR

Capítulo X

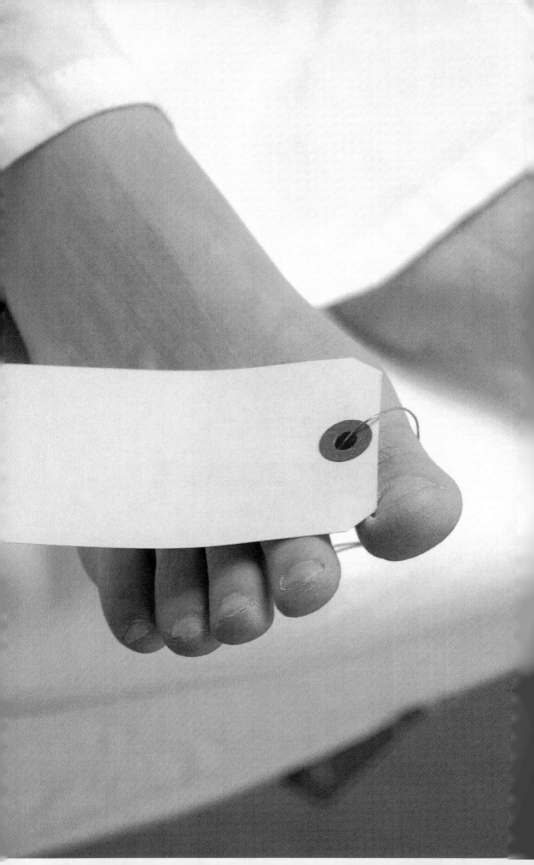

CAPÍTULO XI

RECONOCIMIENTO
DEL CADÁVER

«Nadie puede librar a los hombres del dolor,
pero le será perdonado a aquel que haga renacer
en ellos el valor para soportarlo».

Selma Lagerlöf

Es una realidad que hay muchas cosas que decidimos no creer hasta que las vemos con nuestros propios ojos, ya sea porque la verdad es muy cruda y dura o porque no queremos aceptarla. Pero en todo caso, no importa cuán cruenta, terrible o avasallante sea la verdad, decidimos mirarla a los ojos y hacerle frente porque sabemos que no podremos vivir con la duda, así sea ínfima y casi insignificante de que tal vez, y solo tal vez, podría no ser cierto, y no nos daríamos cuenta a no ser que lo viéramos.

Tras hallar los restos de Rossana Delgado, su hermana Jineska les insistió mucho a las autoridades para ver el cadáver de Rossana, fuese cual fuese su condición. Sin embargo, los investigadores le advirtieron en varias oportunidades las consecuencias psicológicas que pudiera acarrearle ver el estado en que encontraron el cuerpo de su hermana. Le repitieron varias veces que sería una experiencia traumática y que estaban completamente seguros de que se trataba de Rossana, ya que las pruebas de ADN eran infalibles.

Jineska no dejó de solicitar ver el cuerpo de su hermana con sus propios ojos, pese a que las autoridades le dijeron de forma reiterada que el cuerpo estaba en un estado avanzado de descomposición y las imágenes simplemente serían terribles.

Así que, durante días, Jineska se preparó psicológicamente viendo videos de cuerpos en descomposición para intentar reducir su sensibilidad ante las imágenes y que estas fueran menos impactantes. Durante nuestras conversaciones, Jineska me confesó que ella dudaba de que el cuerpo estuviera tan descompuesto debido a que las autoridades hallaron muy rápido el cuerpo de Rossana en la cabaña. De acuerdo con los documentos judiciales, no habían pasado más de doce horas desde la hora de muerte hasta que la encontraron, así que cómo podía ser que se hubiese descompuesto tan rápido.

Jineska me contó que cuestionó a los investigadores por el uso de formol o algún otro químico para mantener el cuerpo. Entonces, le respondieron que era muy posible que el cuerpo de Rossana tuviera los ojos afuera, la lengua fuera de la boca o cualquier otro detalle que ella preferiría no ver y guardar en su memoria.

La insistencia de Jineska era profundamente personal; la última vez que vio a Rossana fue en una misa que hicieron en memoria de su madre, que falleció recientemente, y había pasado mucho tiempo desde que eso sucedió. Después de eso no volvieron a coincidir en Atlanta. Entonces Jineska necesitaba verla, quería disculparse, cerrar ese momento de su vida en el que solamente podía recordar la diferencia de caracteres que la hizo distanciarse de su hermana, a pesar de que vivieran en la misma ciudad.

Transcurrieron unos días, y la familia recibió la notificación de que ya los restos estaban en la funeraria y que podían verlos antes de la cremación. Jineska y el hijo mayor de Rossana fueron con paso firme hasta el lugar. Una vez que estuvieron ahí, los hicieron pasar a un área donde conservaban restos humanos. Ella admitió que en un principio pensó que la llevarían a donde había congeladores con cadáveres, como se ve en las películas, pero eso no sucedió.

Entraron a un espacio muy grande con una camilla que llamó su atención. Jineska y el hijo de Rossana aguardaron por las instrucciones, notando que en la estancia también estaba un hombre que les mostraría el cuerpo, y una testigo que por disposición legal debía estar en el lugar cuando reconocieran el cadáver. La camilla estaba cubierta con una sábana blanca, y mientras Jineska esperaba que le dijeran a dónde ir para reconocer a su hermana, los pocos restos de Rossana reposaban sobre la camilla, dando la impresión de que prácticamente estaba vacía.

Compartiré con ustedes de forma textual parte del testimonio que Jineska me dio cuando hablé con ella:

«Te lo juro, la camilla estaba con una sábana blanca y era como ver plano, entonces aquí (dijo señalando la parte de arriba) tenía como un bultico.

De repente volteo hacia el hombre y le pregunto "¿dónde está ella?, ¿dónde está Rossana?", y me dice "aquí". Entonces yo pregunto, "¿aquí dónde?"».

Con un nudo en la garganta y las lágrimas que afloraban de sus ojos amenazando con salir, Jineska me dijo que Rossana «no tenía dientes, ojos, ni uñas. No tenía nada, ahí no había nada. Yo les pedí que me mostraran el cuerpo completo y

Capítulo XI

141

quien me lo estaba mostrando me dijo "eso es todo lo que hay"».

Luego comenzó a describirme que solo estaba parte de la pelvis del cuerpo y que realmente fue una imagen muy dura de ver porque, después de todo, ¿quién es capaz de hacer un acto tan horrible con el cuerpo de otro ser humano?

«No tenía las piernas, también le faltaba el brazo derecho, me agaché para verle la cabeza y solo tenía las últimas dos muelas, y no las tenía en la boca si no puestas sobre la camilla, también había otros huesos como las costillas, que además estaban rotas».

Todos estos detalles sórdidos fueron los que quedaron en su memoria, y que la hicieron presumir una y otra vez que Rossana fue torturada antes de ser asesinada, ya que no tenía ningún sentido que se hubiesen ensañado tanto con el cuerpo sin vida. No solo había sido mutilada en un intento desesperado por desaparecer sus restos, también había sido golpeada, maltratada, extrajeron sus dientes, sus uñas y prácticamente acabaron todo de ella.

Finalmente, lo poco que quedó de Rossana fue cremado. Se lo entregaron a sus familiares inmediatamente. Yhonny seleccionó una urna rosada para sus restos, y la llevaba consigo el día de la misa de despedida. Entonces dijo a la prensa: «Gracias a Dios ya la tengo conmigo y la voy a tener siempre cerca».

Cuando empezaron a surgir historias y comentarios sobre el hallazgo de los restos de Rossana, sobre ella cayeron millones de críticas, señalamientos, comentarios destructivos,

Capítulo XI

y toda clase de historias sórdidas, irreales y condimentadas con lo que fuese que las personas quisieran decir de ella.

Lamentablemente ella no está para defenderse ni contarnos qué fue realmente lo que sucedió, pero sí me extendí la tarea de preguntarles a sus familiares y personas cercanas, que eran quienes realmente la conocían, la veían diariamente y podían saber si estaba involucrada o no con una organización criminal tan peligrosa que determinara que debían hacer todo esto con su cuerpo.

Sin embargo, tal como el resto de las personas a las que tuve la oportunidad de conocer, Jineska me dijo que Rossana era una persona noble y correcta en su corazón. «No creo que ella fuera capaz de formar parte de un grupo como este», me aclaró durante nuestra conversación. Esto me hizo pensar mucho, porque según lo que me contó, Rossana y ella no gozaban de la mejor relación, sino que, por sus caracteres explosivos y su forma de hablar tendían a pelear mucho, razón por la cual se distanciaron tanto, aunque ambas vivieran en el mismo estado.

Sin embargo, Jineska tenía un concepto moral intachable de su hermana, reconocía que Rossana era una buena persona, amable de corazón y que le gustaba ayudar a los demás, no lastimarlos, por lo que no creía posible que las acusaciones que recayeron sobre ella y su familia fuesen ciertas, sin importar lo que se dijera en las redes sociales.

Ya conociendo a Rossana y cómo se vio envuelta en todas estas situaciones que la llevaron a su muerte, podemos emitir un juicio de valor sobre el tema. Y aunque los

Capítulo XI

hechos no la eximan de culpa por participar consciente o inconscientemente en situaciones al margen de la ley, por pequeñas e insignificantes que pudieran parecernos a muchos que tratamos de sobrevivir en una tierra extranjera, es verdad que no merecía tan desgarrador desenlace. Y sé que muchos estarán de acuerdo conmigo en esto: nada puede justificar la saña con la que muchos la señalaron, culparon y juzgaron, sacrificándola a ella y a su familia en un paredón inquisidor sin oportunidad de defenderse.

Ella no está y no estará para esgrimir palabras en su defensa, lastimosamente la silenciaron para siempre. Únicamente ella conoce la verdad, además de esos que ahora están detenidos y que han testificado cómo ocurrieron las cosas. Sin embargo, los culpables la acusaron de ser una «asociada de su organización» sin prueba alguna, y sin razones aparentes. Quienes investigamos, compartimos con su familia y sufrimos su muerte podemos replicar que su testimonio carece de veracidad y no puede estar por encima del concepto que tienen de ella quienes realmente la conocieron.

Además, hay otro tema del que nadie ha querido hablar durante toda esta investigación, y es que quizás las autoridades nunca expongan sus fallas en el manejo del caso de la desaparición de Rossana Delgado. No obstante, la historia de ella se repite más de lo que nos gustaría, aunque no en los mismos términos. Esa falta de interés en investigar cuando se trata de personas de la comunidad hispana ha llevado muchas desapariciones a muertes, o han permanecido como misterios sin resolver, dejando a muchas familias desoladas. Y aunque muchos de ellos aseguren que les importamos igual que los estadounidenses, en el fondo seguiremos siendo para ellos unos extranjeros que llegamos a invadir sus espacios y a aprovecharnos de sus recursos. En este punto, la indiferencia mata tanto como las armas, y la falta de justicia hiere tanto como los juicios sobre personas inocentes.

Luego de analizarlo muchas veces, estoy seguro de que si las personas encargadas de la seguridad de la comunidad hubiesen hecho su trabajo desde el primer día de la desaparición, el final de esta historia sería diferente. Ellos tuvieron muchas oportunidades de encontrarla, cuatro días desde que desapareció hasta que la mataron dejando muchos cabos sueltos que cualquiera hubiese podido atar con ayuda de las herramientas correctas. Cualquier ápice de interés de las autoridades hubiera sido suficiente para encontrarla. No obstante, como todo en la vida real, el «hubiera» no existe, y lamentablemente se ha convertido en una palabra que persigue nuestra conciencia sin piedad.

Ya no hay vuelta atrás, unos hijos perdieron a su madre, un esposo perdió a su pareja, una hermana perdió su lazo inquebrantable y una prima su confidente.

A lo hecho, pecho.

No obstante, lo que sí podemos hacer es corregir, y a todos los que señalaron y juzgaron, pueden abrir sus bocas para rectificar y considerar, la próxima vez, que por nuestra mente pase un pensamiento aniquilador del otro.

Capítulo XI

Quizás el caso de Rossana Delgado fue para muchos una muerte más, un número más en la amplia estadística de crímenes que rodean a la ciudad, pero para mí fue un reto profesional, personal y de empatía para darle voz a quien le fue silenciada y para alcanzar una verdad que todos desconocían.

Al final no somos completamente buenos ni tampoco completamente malos. Como dijo Sócrates: «A veces hay que alzar muros no para alejar a la gente, sino para ver a quién le importas lo suficiente para derribarlos».

Capítulo XI

REGALO PARA EL LECTOR

Capítulo XI

CAPÍTULO XII

LA PRIMERA VEZ:
JUICIO DE PRESENTACIÓN

«Una cualidad de la Justicia es hacerla pronto y sin dilaciones; hacerla esperar es injusticia».

Jean de la Bruyere

El martes 15 de junio de 2021, a casi dos meses del asesinato de Rossana Delgado, sería la primera vez de muchas en este amargo y abominable suceso que cinco de los diez arrestados por el caso de Rossana Delgado se presentarían ante la justicia para responder por sus crímenes. También sería la primera vez que la familia de Rossana viera cara a cara a Allison Colone después de haberla confrontado en el proceso de búsqueda, aunque esta vez los separaba una pantalla. Además, sería la primera vez que tendrían de frente a los otros cuatro involucrados en la desaparición y muerte de Delgado. Dolorosamente, sería la primera vez que los familiares y la prensa escucharían que utilizaron una motosierra para desmembrar el cuerpo de Rossana Delgado para luego quemarlo. La primera vez que escucharían el nombre del hombre que ordenó su muerte y la primera vez que estarían en la ciudad donde estuvo por última vez viva Rossana Delgado. El rencor y la sed de justicia se sentían en la Sala B de los Tribunales de la Corte Superior del condado de Gilmer, y las ansias de una explicación que diera luces sobre las razones tras un asesinato tan horrible.

Yo también estuve ahí, y sentí la misma tensión que los presentes. Así que en este punto describiré cada momento de aquel día en el que la justicia iniciaría el proceso para regresar el orden de lo que se quebró. Es un hecho que, aunque al final no devolverán a la vida de Rossana, si podrán aliviar aunque sea un poco ese dolor que se desbordó aquel 20 de abril.

Eran las siete de la mañana cuando sonó el reloj despertador, aunque antes de sonar mis ojos miraban fijamente el techo. No había podido conciliar el sueño, y no era para menos, sería la primera vez que estaría en la sala escuchando cada detalle de los cargos que se les atribuyen a los involucrados en el caso.

Me bañé y me vestí rápido, quería estar justo en la puerta cuando abriera el tribunal. Todavía no sabíamos la hora del juicio, por eso quería estar antes. A las siete y veinte de la mañana estaba saliendo de mi casa para conducir por casi dos horas hasta Elijay, donde queda la sede del Tribunal. Al llegar, pasé por un riguroso proceso de revisión de seguridad para ingresar al edificio. Desorientado, les pregunté a los agentes de seguridad en cuál sala y a qué hora sería la audiencia de presentación de los acusados. Con una corta respuesta me contestaron que preguntara en la oficina de secretaría, y ahí me darían toda la información. Así lo hice, y para mi tranquilidad el juicio estaba pautado para las dos de la tarde. Fue entonces que me comuniqué con la familia de Rossana, quienes también asistirían, para que llegasen a la hora y no tanto tiempo antes como yo.

Fui a desayunar para que el estómago se me tranquilizara. El clima era bastante agradable, con montañas altas que cubren la ciudad como un inmenso muro que protege el lugar; ahí se respira paz, tranquilidad. Por ser una ciudad turística sabías diferenciar entre quienes viven allí y los que están de visita como yo, aunque mi visita no era de turismo.

Por ser una pequeña ciudad las noticias vuelan y entre susurros y murmureos solo se escuchaban entre la gente comentarios como «¿y la vinieron a matar acá?», «ese tipo de cosas aquí no se ven», «este es un pueblo tranquilo». Ahí reafirmé que la enorme tragedia no solo embargó a la familia de Rossana, sino que rompió con la tranquilidad de un pueblo sereno.

Terminé de desayunar y emprendí mi recorrido hacia aquella cabaña donde fue asesinada Rossana, ya que yo mismo quería percibir la energía que encerraba aquel lugar. Al ver el lugar solo pude imaginarme la impactante oscuridad de la noche, el silencio ensordecedor de la penumbra, y las paredes impenetrables de las montañas que arropaban aquella cabaña que vio por última vez con vida y que fue escenario del más despreciable hecho.

Desde el centro de la ciudad de Elijay hasta Cherry Log hay cinco minutos de distancia, pero para el lugar empinado y de difícil acceso donde estaba la cabaña podrían tomar hasta quince minutos.

Comencé mi recorrido y al llegar al pie de la montaña para subir el camino angosto y de piedra que me llevaría al lugar, por mi mente pasaba cada segundo en que la llevaron a través de ese mismo camino. Entonces me preguntaba si Rossana había estado consciente en todo ese trayecto. Mi mente recreaba una y otra vez cómo fue llevada hasta ese punto y el terror que debió sentir si es que estaba consciente.

Capítulo XII

Debo de confesarles que, aunque eran como las diez y media de la mañana, el clima nublado de ese día hacía tenebroso el recorrido, o quizás era mi proyección recreando el terror que vivió Rossana antes de morir.

Manejé cuidadosamente, porque el camino era para un solo vehículo. Es decir, si alguien iba subiendo y otro carro bajando, alguno de los dos debía esperar, porque no podían pasar al mismo tiempo, además de que la vía era de piedras, lo cual hacía el camino un poco más peligroso.

A medida que avanzaba el miedo se iba apoderando de mí, porque era un camino solo y en cualquier momento podía quedarme sin señal. Le pedía a Dios que no bajara ningún carro y que no me encontrara a nadie en el recorrido, temiendo esta vez por mi seguridad, aunque tal vez solo era presa del pánico por lo que estaba rememorando.

Manejé por unos diez o quince minutos, pero para mí fue una eternidad. Al llegar, bajarme, ver el lugar e imaginar lo vulnerable que siempre estuvo Rossana en un lugar tan apartado, me resquebrajé un poco. Era fácil entender al estar aquí que, aunque hubiese tenido alguna posibilidad de pedir ayuda, nadie, absolutamente nadie la hubiera escuchado.

Estuve en ese lugar al menos unos diez minutos, no vi nada extraño que hiciera suponer que la cabaña fue la escena del más atroz crimen que se pudo haber ejecutado en las montañas de Cherry Log. Y entonces medité un poco acerca de lo efímeras que eran algunas cosas. Hoy era la noticia del momento y todos sabían que en esa cabaña había ocurrido un asesinato, pero quizás en un año ya todos lo habrían olvidado, o quizás demolerían la cabaña y todo quedaría como si nada hubiese pasado.

Bajé rápidamente la montaña mientras mi mente repetía una y otra vez la recreación de los hechos que leí tantas veces en el informe, sintiéndome parte de la historia y preso Oleida Muñoz y Nerio Morales. de la estela del pánico que Rossana pudo sentir. Entonces volví a los tribunales sin mediar palabras y simplemente me senté a esperar a que anunciaran la audiencia de presentación de los acusados.

Cerca de la una de la tarde me llamó la hermana de Rossana para saber más del juicio. Le di las indicaciones, y al llegar el momento entré primero a la sala para solicitar a la jueza se me permitiera grabar la audiencia. La solicitud fue rechazada porque era un trámite que se debía hacer con anticipación, así que tenía que afinar mis cinco sentidos para escuchar todos y cada uno de los detalles que se ventilaran en el juicio.

La familia de Rossana entró a la sala justo antes de iniciar el juicio. Estuvieron presentes Yhonny, Jineska, el hijo mayor de Rossana y la prima.

La primera en presentarse fue Allison Colone. Su comparecencia fue corta ya que el abogado solicitó al juez una nueva fecha para la audiencia de presentación porque, según sus argumentos, Colone necesitaba revisión de su condición mental, debido a no estaría preparada para enfrentar un juicio. Tras un par de intervenciones las autoridades le concedieron la revisión.

En ese momento también fue la primera vez que el caso de Rossana Delgado fue relacionado con un cartel mexicano de drogas y se escuchó por primera vez el nombre del hombre que ordenó la ejecución macabra de Delgado.

Cuando la agente del Buró de Investigaciones de Georgia subió al estrado y juró decir toda la verdad, comenzó a describir todos los hechos que tomó en consideración durante el proceso de investigación. Entonces aseguró que Rossana fue desmembrada y quemada en la cabaña que yo había visitado hacía unas horas. En ese momento, su familia rompió a llorar amargamente, de forma tan sonora que enmudeció al resto de los presentes en la sala. Sin duda alguna fue el momento más desgarrador de la audiencia, en el que los allegados más directos de Rossana escucharon por primera vez de la boca de los investigadores exactamente lo que había sucedido con ella.

Pasaban los minutos e iban presentando uno a uno los acusados del asesinato de Rossana Delgado. Toda la audiencia duró entre una hora y hora y media, mientras los acusados se declaraban inocentes y revelaban muy pocos detalles.

Al salir de la sala del tribunal me acerqué hasta la familia para extenderles nuevamente mis palabras de condolencia y mi solidaridad por la tragedia que estaban viviendo.

Les pregunté sobre sus reacciones acerca de la audiencia, a lo que recibí una respuesta madura de parte del hijo mayor de Rossana que dijo:

—Se está haciendo justicia y en el nombre de Dios que todo siga saliendo bien.

Jineska, la hermana de Rossana, agradeció a los que hicieron posible que los acusados estuvieran frente a un tribunal rindiendo cuentas ante la justicia por sus actos atroces.

Cuando le pregunté qué sintió cuando llegó a la ciudad donde estuvo por última vez viva su hermana, Jineska rompió en llanto y destacó que no pudo evitar llorar al ver cada rincón de aquella pequeña ciudad.

—Sentí un dolor muy grande, en realidad no sabemos si en ese momento ella iba sufriendo o ya no estaba con vida. No sabemos nada y no lo sabremos. Es un pesar muy grande saber que fue en un bosque alejado de la nada y es muy triste saber que ahí fue su último respiro.

Adicionalmente, cuando le pregunté qué pensaba acerca de la medida solicitada por el abogado defensor de Allison Colone, dijo:

—Seguramente es una estrategia para ganar tiempo, porque ella estaba muy cuerda. Nosotros la tuvimos de frente, yo la tuve de frente y le pedí que soltara a mi hermana, que la dejara libre y ella no quiso, ella tomó la decisión de asesinarla.

Capítulo XII

EPÍLOGO

« No todas las leyes son justas, que hay leyes justas
que son aplicadas injustamente ».

David Arango

Una justicia injusta

Tras más de dos años del secuestro y asesinato de Rossana Delgado, finalmente, nueve de los catorce involucrados en el atroz hecho fueron condenados por un tribunal del condado de Gilmer luego de declararse culpables de algunos de los cargos que se les imputaba. Todos pensarán que quizá se hizo justicia en el caso, pero para otros, en especial para las personas cercanas a ella, las condenas no están ajustadas a derecho, de hecho, algunos podrán optar quedar en libertad condicional luego de cumplir cierto tiempo recluido en una cárcel en EE UU.

En este caso, la justicia pareciera haber fallado y nos recuerda una reflexión hecha por el columnista David Arango en la columna de *El Colombiano* titulada «Reflexiones sobre la justicia» que dice que «no todas las leyes son justas, que hay leyes justas que son aplicadas injustamente». Además, agrega que «la ley, en tanto proyecto humano, no es perfecta, tampoco los sistemas de justicia. No todas las leyes son justas ni todos los jueces actúan como siempre con justicia».

Pareciera que el caso de Rossana es, quizá, un reflejo de esa justicia injusta.

Las sentencias

En febrero de 2022, el Gran Jurado del Condado de Gilmer emitió una acusación formal contra 14 acusados nombrados por cargos relacionados. Se fijó para juicio por jurado en el Tribunal Superior del Condado de Gilmer a partir del 1 de mayo de 2023. Antes del juicio, numerosos acusados se declararon culpables, entre ellos:

El 9 de marzo de 2023, Oswaldo García se declaró culpable de los delitos de homicidio por malicia; secuestro; ocultar la muerte de otro; eliminación de partes del cuerpo de la escena del crimen; asalto agravado; y violación de la Ley de Organizaciones Corruptas e Influenciadas por Mafiosos (RICO por sus siglas en inglés) y fue sentenciado a cadena perpetua.

El 26 de abril de 2023, José Ayala se declaró culpable de los delitos de secuestro, encubrimiento de la muerte de otro, agresión agravada y violación de la Ley de Organizaciones Corruptas e Influenciadas por mafiosos (RICO) y fue sentenciado a cadena perpetua.

En esa misma fecha, Tony Vega se declaró culpable de los delitos de secuestro, encubrimiento de muerte de otro, agresión agravada y violación de la Ley de Organizaciones Corruptas e Influenciadas por mafiosos (RICO), fue sentenciado a 70 años de servicio, incluidos 30 años recluido en el sistema penitenciario del estado de Georgia.

Allison Colone se declaró culpable del delito de violación de la Ley de organizaciones corruptas e influenciadas por mafiosos y fue sentenciada a 20 años, de los cuales 18 años son en el sistema penitenciario del estado de Georgia.

Elena Galicia Martínez se declaró culpable del delito de violación de la Ley de Organizaciones Corruptas e Influenciadas por mafiosos (RICO) y fue sentenciada a 20 años de servicio, incluidos 13 años recluida en el sistema penitenciario del estado de Georgia.

Además, el 26 de abril de 2023, Tabby Garner, Patrick Harvard, Christopher Harvard y Sean Callaway se declararon culpables de la violación de la Ley de Organizaciones Corruptas e Influenciadas por mafiosos (RICO) y fueron sentenciados a cumplir condena en el sistema penitenciario del estado de Georgia. Podrán solicitar libertad condicional.

COMENTARIO FINAL

Tras las sentencias de la mayoría de los acusados por el caso del secuestro y asesinato de Rossana Delgado, esta familia cerró un capítulo con un sabor amargo. Finalmente, consiguieron de alguna forma un poco de justicia, aunque eso no les regrese a Rossana. La vida continúa, como dice el dicho: la función debe continuar, aunque muchas veces les viene a la mente el recuerdo de Rossana, ahora la piensan de una forma diferente, la recuerdan de la forma que siempre fue, una mujer genuina, entregada a los suyos y a su familia. Aunque en algún momento sintieron la torre tambalear por falta de una de las piezas importantes, la vida les ha dado la oportunidad de volver a sonreír.

Por mi parte, siento la satisfacción del deber cumplido. De esta forma le di voz a quien un día se la apagaron, hay noches en que la imagen de Rossana se forma en mi mente y, como me dijo su prima, «estoy segura de que si Rossana te hubiera conocido te hubiera adorado y agradecido por todo esto que hiciste por ella».

Made in United States
Orlando, FL
01 December 2023

39943648R00102